Sir Arthur Conan Doyle
Sherlock Holmes

Um estudo em vermelho

Todos os direitos desta edição
reservados para Editora Pé da Letra
www.editorapedaletra.com.br

© A&A Studio de Criação — 2017

Direção editorial	James Misse
Edição	Andressa Maltese
Ilustração	Leonardo Malavazzi
Tradução e adaptação	Gabriela Bauerfeldt
Revisão de Texto	Nilce Bechara
	Marcelo Montoza

DCIP-BRASIL. CATALOGAÇÃO-NA-FONTE
SINDICATO NACIONAL DOS EDITORES DE LIVROS, RJ

D784e

Doyle, Arthur Conan, Sir, 1859-1930
Um estudo em vermelho / Arthur Conan Doyle ; tradução Gabriela Bauerfeldt. - 1. ed. - Cotia, SP : Pé da Letra, 2017.
il.

Tradução de: A study in scarlet
ISBN 978-85-9520-077-7

1. Ficção escocesa. I. Bauerfeldt, Gabriela. II. Título.

17-46490   CDD: 028.5
                 CDU: 087.5

Parte 1
Capítulo 1
Mr. Sherlock Holmes

No ano de 1878 eu peguei meu diploma de Doutor em Medicina pela Universidade de Londres e segui para Netley para fazer a especialização de cirurgiões do exército. Assim que completei meus estudos, eu fui convocado para a Quinta Divisão de Fuzileiros como cirurgião assistente. Na época, o regimento estava na Índia e, antes mesmo que eu pudesse partir, a segunda guerra no Afeganistão estourou.

Ao pousar em Bombaim, eu descobri que minha equipe já tinha feito grandes conquistas e, por isso, tinha também grandes inimigos no país. Contudo, eu segui junto com outros oficiais que estavam na mesma situação que eu, e conseguimos chegar seguros em Kandahar, onde ficava o meu regimento.

O tempo de serviço trouxe honras e promoções para muitos, mas, para mim, trouxe apenas má sorte e desastres. Eu fui retirado do posto de serviço em que eu estava e removido para Berkshires, onde eu servi na guerra trágica do Afeganistão. Lá eu fui atingido na coxa por uma bala inimiga. O ferimento quase provocou a minha morte, não fosse meu companheiro ter me socorrido e me levado de volta em segurança para os campos britânicos.

Padecendo de dor e muito fraco devido aos traumas que sofri, fui removido pelo trem de feridos e levado ao hospital. Lá eu reagi bem, mas quando estava prestes a caminhar novamente e ter um pouco de autonomia, fui atingido pela maldita febre que rondava o Oriente. Durante meses minha vida ficou por um fio. Minha situação era tão terrível que fui enviado novamente para a Inglaterra. Depois de um mês de viagem, eu cheguei novamente a terras britânicas.

Chegando à Inglaterra, eu parti para Londres, onde fiquei hospedado em um hotel por algum tempo, vivendo com muita mordomia. Entretanto, meu dinheiro estava se acabando e eu precisei decidir se deixaria a metrópole ou adotaria um estilo de vida mais simples, com menos requinte. Decidi pela segunda opção e comecei a procurar por uma moradia mais barata.

No dia em que eu cheguei a essa conclusão, eu estava no Bar Critério quando alguém meu deu um tapa no ombro. Eu logo reconheci o jovem Stamford, que era um antigo amigo. A visão de um rosto amigo me fez bem na loucura de estar sozinho em Londres. Fiquei tão feliz que o convidei para almoçar no Holborn comigo.

— O que você tem feito, Watson? Você está magro e marrom como a casca de uma noz!

Eu contei a ele brevemente sobre as minhas aventuras e ele rapidamente entendeu o que eu havia passado.

— Pobre homem! — exclamou ele, comovido pela história. — E o que você vai fazer agora?

— Estou procurando por um lugar para morar. Encontro-me no desafio de encontrar um lugar confortável por um preço justo.

— Que engraçado! Você foi a segunda pessoa a me falar isso hoje.

— E quem foi a primeira? — perguntei.

— Um companheiro que está trabalhando no laboratório químico do hospital. Ele estava se lamentando hoje pela manhã que os quartos que ele achou e dos quais gostou eram muito caros para ele e talvez a melhor ideia fosse achar alguém para compartilhar.

— Meu Deus! Se ele realmente quer dividir um lugar bacana com alguém, eu sou a pessoa que ele procura. Até prefiro morar com alguém do que morar sozinho.

O jovem Stamford olhou de um jeito estranho para sua taça de vinho.

— Você não conhece Sherlock Holmes ainda — disse ele —, talvez você não goste de tê-lo como companheiro todos os dias.

— Por quê? O que há contra ele?

— Eu não disse que tenho algo contra ele. Ele é um pouco perdido em suas ideias e muito entusiasmado com descobertas científicas. Até onde eu sei, ele é um homem decente.

— Um estudante de medicina, eu suponho.

— Eu não faço a menor ideia do que ele pretende fazer. Eu acho que ele estuda anatomia agora, mas sua primeira formação é química; todavia, até onde eu sei, ele nunca cursou medicina. Seus estudos são excêntricos, e ele tem desafiado muitos professores com seus saberes.

— Você nunca perguntou o que ele estuda?

— Não, ele não é um homem muito fácil de se decifrar.

— Eu gostaria de conhecê-lo. Prefiro dividir a casa com um homem estudioso, de hábitos tranquilos. Eu não aguento muita agitação. Já tive o suficiente no Afeganistão. Como posso conhecer seu amigo?

— Com certeza ele deve estar no laboratório. Ele evita o lugar por semanas, mas, quando entra, demora para sair. Se você quiser posso levá-lo lá depois do nosso almoço.

— Continuaremos nossa conversa por outros canais.

Quando terminamos o almoço, seguimos para o hospital. Stamford me deu algumas dicas sobre o homem com o qual eu estava prestes a me encontrar e com quem eu pretendia dividir a casa.

— Não me culpe se não der certo com meu colega, não sei muito sobre ele, apenas o que aprendi dos nossos encontros ocasionais no laboratório.

— Vejo que você está aflito, Stamford. O temperamento desse sujeito é estranho ou o quê? Não diga meias palavras.

— Não é fácil expressar — respondeu com uma risada. — Holmes é muito científico para o meu gosto. Chega até a ser meio sangue-frio. Eu não consigo imaginá-lo dividindo a última verdura da geladeira com um colega, não por uma questão de maldade, mas de natureza mesmo. Ele parece ter uma certa paixão pela racionalidade pura.

— Entendi.

— Sim, e ele gosta de levar tudo ao limite. Principalmente no que diz respeito à análise de objetos e dissecações no laboratório.

— E você diz que ele não estuda medicina?

— Não! Sabe-se lá para que ele fica tantas horas no

laboratório. Mas chega! Você deve formar suas próprias impressões sobre ele.

Assim que Stamford terminou de falar, nós chegamos no hospital. Era um ambiente familiar para mim, e eu não precisava de guia para saber por onde ir. No fim do corredor do segundo andar ficava o laboratório; nós seguimos juntos para lá.

Entramos no laboratório e logo o homem gritou:

— Eu encontrei! Eu encontrei o reagente que se coliga com as hemoglobinas! — ele dizia isso para o meu companheiro como se tivesse encontrado minas de ouro.

— Dr. Watson, conheça o Mr. Sherlock Holmes — disse Stamford nos apresentando.

— Como você está? — disse ele cordialmente. — Você esteve no Afeganistão, pelo que vejo.

— Como você sabe disso? — perguntei, chocado.

— Deixe para lá. A questão agora é sobre a hemoglobina. Sem dúvida você reconhece o significado da minha descoberta?

— Quimicamente é interessante, mas na prática...

— Na prática é a descoberta médica mais interessante em anos! Você não vê que ela nos dá a capacidade de fazer um teste infalível para manchas de sangue? — ele me agarrou e me puxou para observar o seu trabalho. — E aí, o que você acha?

— Realmente parece ser um teste muito eficaz! — disse eu.

— Maravilhoso! Agora nós teremos mais precisão para condenar crimes. O teste antigo era muito impreciso.

— De fato! — murmurei.

— Os casos criminais sempre terminam no mesmo problema. O culpado só consegue ser condenado depois de meses, pois os testes são imprecisos, e, por vezes, algo fica até sem resolução pela falibilidade dos testes.

Os olhos dele brilhavam conforme ele falava e ele colocou as mãos sobre o peito com muita satisfação em seu olhar.

— Você precisa ser parabenizado mesmo!

— Houve um caso dos Von Bischop em Frankfurt no ano passado. Ele certamente gostaria de ter conhecido esse teste antes. Também teve a situação na Maison de Bradford. Eu poderia elencar os casos nos quais esse procedimento seria decisivo.

— Você parece ser engajado no calendário dos crimes — disse Stamford rindo. — Poderia até escrever para um jornal. A manchete seria: Notícias Policiais do Passado.

— Seria realmente interessante — disse Holmes, distraído com suas fórmulas e manipulações químicas.

— Bom, nós viemos até aqui para negócios. Meu amigo está à procura de alguém para dividir apartamento e ouvi você murmurando que estava procurando alguém. Achei interessante apresentar vocês.

Na hora em que Stamford terminou de falar, a feição de Holmes era de extrema satisfação.

— Eu estou vendo um lugar na Baker Street que parece ser excelente. O cheiro de tabaco não o incomoda, certo?

— Eu também gosto de fumar de vez em quando.

— Isso é bom demais. Às vezes eu gosto de fazer alguns experimentos químicos. Isso o incomodaria?

— De forma alguma.

— Deixe-me ver o que tenho de pior para lhe contar. Bom, sou meio excêntrico, fico sem falar por dias, mas não precisa se preocupar. Deixe-me quieto que logo volto ao normal. E você, o que tem a confessar? Já que vamos morar juntos, acho justo sabermos o pior um do outro.

Eu estava rindo da sua examinação detalhada.

— Eu tenho um cachorrinho, não gosto de acordar cedo, pois sou preguiçoso, barulhos estranhos me irritam e odeio pegar filas. Eu tenho outros vícios, mas esses são os principais.

— Você inclui o som do violino nesses barulhos irritantes? — perguntou Holmes, ansioso.

— Depende de quem estiver tocando. Um bom violinista sempre cai bem.

— Ah, então está tudo bem. Eu acho que seremos bons parceiros.

— Quando podemos ir olhar então?

— Ligue-me amanhã, que iremos juntos e combinamos tudo.

— Está certo — disse eu apertando a mão de Holmes.

Nós o deixamos trabalhando em seus experimentos e partimos para o meu hotel.

— A propósito, como ele sabe que eu fui para o Afeganistão?

— Isso é mais uma peculiaridade sobre ele. Muitas pessoas gostariam de saber como ele sabe sobre tudo.

— Então essas habilidades dele são um mistério.

— Você terá que estudá-lo. Tchau!

— Tchau! — respondi entrando no meu hotel.

Capítulo 2
A ciência da dedução

Nós nos encontramos no dia seguinte na Baker Street, número 221B, como combinamos no dia anterior. O apartamento era agradável e daria para morarmos juntos mantendo um certo nível de privacidade. Nós acordamos os termos burocráticos e, no fim do dia, eu já estava me mudando. Holmes se mudou na manhã seguinte. Nós passamos os dias seguintes desempacotando tudo e organizando nossa nova casa. Quando terminamos, já estávamos acomodados ao novo apartamento.

Holmes certamente não era um homem difícil para se dividir a vida. Ele era quieto e tinha suas manias e hábitos regulares. Ele dormia e acordava sempre nos mesmos horários, passava dias no laboratório de química e, por vezes, fazia longas caminhadas pela cidade. Quando não fazia essas coisas, permanecia dias deitado no sofá com um ar sonhador em seus olhos, o que me dava a impressão de que ele tinha usado drogas.

Conforme as semanas foram se passando, eu ia ficando cada vez mais interessado nos hábitos estranhos de meu colega de apartamento. Mas eu não queria ser intrometido. No entanto, minha curiosidade sobre qual era sua real ocupação não me deixava em paz.

 Ele não estudava medicina, o que comprovava os pareceres de Stamford, e também não parecia estar interessado em algum diploma de ciência ou coisa parecida. Entretanto, o seu conhecimento era tão vasto e minucioso, e incluía assuntos tão excêntricos, que eu ficava espantando diante de suas observações. Por que ele se dedicaria tanto a obter algumas informações se não fosse para alcançar um objetivo específico? Por outro lado, ele não dominava alguns assuntos óbvios, como a composição do Sistema Solar. Eu não pude acreditar quando notei que ele ignorava a teoria de Copérnico e não sabia que a Terra girava em torno do Sol.

— Você parece atônito — disse ele rindo. — Agora que eu já sei, vou fazer o meu melhor para esquecer.

— Esquecer?!

— Veja, eu considero o cérebro humano como um pequeno sótão vazio. Você tem que escolher os móveis que vai armazenar nele. Alguém cuidadoso guardará no sótão apenas aquilo que lhe for útil, para que, quando precisar de algo, saiba onde buscar. É um erro colocar coisas inúteis, quando se pode deixar mais espaço para as coisas úteis.

— Mas o Sistema Solar! — protestei.

— Para que me serve saber que os planetas giram ao redor do Sol ou que a Lua está parada ao lado dele? Não faz diferença no meu trabalho.

Era a hora perfeita para perguntar qual era o seu trabalho, mas eu preferi juntar em minha mente os fatos que eu sabia sobre Holmes antes de perguntar para ele sobre sua real ocupação. Não consegui chegar a muitas conclusões, mas continuei pensando sobre ele.

Na primeira semana em que estávamos juntos, ele não recebeu nenhuma visita; pensei que ele pudesse ser alguém como eu, com pouco amigos. Entretanto, eu descobri que ele tinha muitos encontros, cada um em um local diferente da cidade, com pessoas de diferentes classes. Uma dessas pessoas era Mr. Lestrade, como foi apresentado a mim. Ele visitou Holmes ao menos quatro vezes em uma semana. Certa manhã, uma jovem muito elegante ficou cerca de uma hora e meia conversando com ele. No mesmo dia, veio um outro senhor. E cada vez mais começaram a vir pessoas diferentes. Sherlock Holmes se desculpava, pois pedia para usar a sala de estar. Ele dizia que precisava atender seus clientes de modo particular.

Lembro-me bem do dia 4 de março, quando eu acordei e Holmes ainda não havia terminado o café da manhã. Meu lugar não estava posto, pois eu tinha o costume de me levantar mais tarde. Então eu cheguei, toquei o sino para solicitar meu café e aguardei. No momento que eu estava lendo uma revista, Holmes engoliu uma torrada. Um dos artigos que eu lia tinha uma marca de lápis que eu não pude deixar de reparar.

O título do artigo era "O Livro da Vida" e falava sobre como alguém observador pode aprender coisas com mais facilidade. O autor colocava a lógica como característica básica para descobrir todas as coisas. Achei absurdo.

— Que artigo péssimo. Nunca li um lixo tão grande em minha vida.

— O que é isso?

— Este artigo. Eu vejo que você já leu pois está grifado. Eu não nego que tenha sido escrito de maneira inteligente, mas as afirmações são ultrajantes. Eu pagaria para ver alguém descobrindo tudo com a lógica.

— Você, certamente, perderia muito dinheiro. Quanto ao artigo, eu mesmo escrevi.

— Você?!

— Sim, as teorias sobre as quais eu falo no artigo são extremamente práticas. Tão práticas, que devo a elas o meu ganha-pão.

— E como?

— Bom, eu tenho uma ocupação única no mundo. Sou um detetive consultivo, se você consegue entender o significado. Aqui em Londres temos muitos detetives. Quando esses colegas falham, eles vêm até mim. Eles apresentam os fatos diante de mim, e eu geralmente consigo organizá-los graças ao meu conhecimento e às minhas habilidades de dedução. Lestrade é um detetive conhecido; recentemente ele entrou em um caso difícil e precisou de minha ajuda, por isso andou frequentando nossa casa.

— E as outras pessoas?

— A maioria é enviada por agências privadas. Eles vêm até mim, contam suas histórias, escutam meus comentários e pagam minha taxa.

— Você está querendo dizer que, sem sair de sua sala, você consegue resolver os problemas dessas pessoas?

— Mais ou menos isso. Eu tenho uma intuição. Em casos mais complexos, às vezes, eu preciso ver as coisas com meus próprios olhos. Eu tenho uma série de conhecimentos especiais que aplico na minha prática. E as regras da dedução que você leu no artigo são infalíveis para mim. Sou muito observador. Você pareceu surpreso quando, em nosso primeiro encontro, eu fui capaz de afirmar que você havia estado no Afeganistão.

— Alguém lhe contou, sem dúvida.

— Nada disso. Eu sabia que você tinha vindo do Afeganistão pois observei atentamente cada detalhe, como: ele aparenta ser um médico, mas tem um ar militar, logo é um médico do exército; deve ter vindo dos trópicos, pois está com a pele bronzeada; enfrentou uma doença grave, pois seu rosto denuncia isso; sua perna esquerda já foi atingida. Assim, pensei: onde um médico inglês poderia ter sido atingido por uma bala? Somente no Afeganistão. Então fiz o comentário e você ficou atônito.

— Fica simples quando você explica. Você me lembra o Dupin, de Edgar Allan Poe. Eu não tinha ideia de que indivíduos como ele existissem fora das histórias.

Sherlock Holmes acendeu rindo seu charuto.

— Sem dúvida você pensa estar me elogiando ao me comparar com Dupin. Entretanto, Dupin, na minha opinião, é bem inferior a mim.

— Você já leu os trabalhos de Gaboriau? Leqoc parece ser o tipo ideal de detetive?

— Não, também o considero medíocre.

Eu estava irritado por ter dois dos meus personagens prediletos desprezados por ele. Era muito arrogante ao falar sobre o assunto. Decidi sair e pensei comigo mesmo: "Esse cavalheiro é sábio e certamente muito conceituado".

Quando voltei, ele estava falando sozinho.

— Não se fazem mais crimes como antigamente. São tão bobos, que até um detetive da Scotland Yard poderia descobrir rapidamente.

Eu ainda estava irritado com o assunto de nossa conversa, achei melhor mudar o tópico.

— Eu imagino o que esse colega esteja procurando — disse eu apontando para o homem que estava do outro lado da rua ansioso, procurando pelos números nas casas.

— Você está falando do sargento aposentado da Marinha — disse Sherlock Holmes.

"Ah, que coisa! Ele sabe que eu não posso verificar seu palpite", pensei. O pensamento mal passou pela minha cabeça quando o homem do qual estávamos falando viu o número na nossa porta, atravessou a rua e bateu de forma decidida.

— Procuro por Mr. Sherlock Holmes — ouvimos sua voz alta dizer à medida que ele entrava na sala com uma carta na mão.

— Do que se trata? — perguntei com a intenção de desmascarar Holmes.

— Dos reparos para os uniformes — respondeu ele. Ele entregou a carta para Holmes.

— Desculpe-me a curiosidade, mas qual é a sua profissão? — perguntei.

— Agora sou carteiro — respondeu.

— E antes, o que o senhor fazia? — perguntei olhando maliciosamente para Holmes e já me sentindo vitorioso.

— Eu era sargento da Marinha, senhor.

O homem bateu as pernas, fez uma continência e saiu.

Capítulo 3
O mistério do Jardim Lauriston

Eu confesso que estava ficando impressionado com as habilidades do meu colega. Meu respeito pela sua capacidade analítica estava crescendo cada dia mais.

— Como você deduziu isso? — perguntei.

— Deduzi o quê? — disse ele de forma petulante.

— Que o homem é um sargento aposentado da Marinha?

— Eu não tenho tempo para coisas triviais. E você quebrou a minha linha de raciocínio ao me interromper. Perdoe-me por ser rude, mas isso me irrita. Você realmente não foi capaz de ver que ele foi um sargento da Marinha?

— De fato, não.

— Deixe-me tentar explicar como foi fácil perceber. Ele tinha uma grande âncora azul tatuada em seu braço. Sua roupa e postura indicavam o aspecto militar. A demonstração de um ar de comando também estava clara para mim. Como estava de bengala e aparentava ser de meia-idade, pensei no fato de já estar aposentado. Logo, cheguei a essa conclusão.

— Maravilhoso! — exclamei.

— Lugar-comum — disse Holmes. — Eu disse agora

mesmo que não se fazem mais crimes como antigamente. Veja isto!

Ele me entregou a carta que o comissário havia trazido.

— Meu Deus! Isso é terrível!

— É, talvez seja um pouco fora do comum. Você se importaria de ler para mim em voz alta?

Eu limpei a garganta e fiz o que ele me pedia:

Meu caro Sherlock Holmes, algo horrível aconteceu às três da manhã no Jardim Lauriston. Nosso homem que estava na vigia viu uma luz às duas da manhã saindo de uma casa vazia. Quando se aproximou, encontrou a porta aberta e, na sala da frente, o corpo de um cavalheiro bem vestido. Os cartões que estavam em seu bolso tinham o nome de Enoch J. Drebber, Cleveland, Ohio, EUA. Não houve assalto e nosso homem não conseguiu encontrar algo que indicasse como ele morreu. Não havia marcas de sangue, nem feridas nele. Não sabemos como ele entrou na casa vazia. Na verdade, todo assunto é um quebra-cabeça sem fim. Se você puder vir até a casa seria ótimo, se não, eu lhe conto os detalhes e gostaria muito de saber sua opinião. Atenciosamente, Tobias Gregson.

— Gregson é o detetive mais esperto da Scotland Yard. Ele e Lestrade são bons. Os dois são rápidos e enérgicos, mas são convencionais. Com certeza, haverá algo de interessante nesse caso.

Eu estava impressionado pelo jeito calmo de Holmes ao se referir ao que eu tinha acabado de ler.

— Com certeza, não há nenhum minuto a se perder. Posso pedir um táxi? — perguntei.

— Eu não tenho certeza se devo ir.

— Por quê? Essa é uma grande chance para você.

— Meu caro companheiro, o que importa para mim, supondo que eu desvende o caso todo, não é o crédito, já que esse eu sei que será todo para Lestrade e Gregson. Meu trabalho está em ser um personagem não oficial.

— Mas ele implorou pela sua ajuda.

— Ele sabe que sou superior, mas ele não é capaz de me dizer isso pessoalmente. Entretanto, você tem razão. Nós devemos ir, para que eu olhe pessoalmente a cena. Vamos!

Ele pegou seu casaco e se aprontou rapidamente.

— Pegue seu chapéu – disse ele.

— Você quer que eu vá?

— Sim, se você não tiver nada melhor para fazer.

Um minuto depois nós já estávamos num táxi a caminho de Brixton Road.

Era uma manhã nublada, com muita neblina. Havia uma certa melancolia no ar e o silêncio pairava no nosso carro, o que estava me deixando até um pouco deprimido.

— Você não parece estar pensando no assunto que estamos prestes a ver — disse eu interrompendo o silêncio que pairava no carro.

— Ainda não. É um erro enorme teorizar sem os fatos completos. Isso engana o nosso julgamento.

— Você terá as informações em breve — disse eu apontando para a casa. — Aqui está Brixton Road, e a casa, bem atrás.

— Então vamos. Pode parar, motorista!

Ainda faltavam uns 100 metros, mas Holmes insistiu

para que terminássemos o percurso a pé.

A casa encontrava-se em meio a algumas outras que estavam no jardim. Holmes não parecia agitado para entrar lá. Ele caminhava de forma calma, olhando o céu, o chão e cada detalhe ao seu redor. Ouvi-o emitir algumas exclamações de satisfação ao olhar o chão cheio de pegadas. Eu não entendia muito bem o motivo de sua excitação, mas esperava aprender com isso.

Na porta da casa estava à nossa espera um homem pálido, alto, segurando um caderno em suas mãos, que correu para receber meu companheiro com alegria.

— É de fato muita gentileza sua ter vindo. Eu deixei tudo como estava.

— Exceto isso! — disse meu amigo apontando para o caminho. — Parece que búfalos passaram por aqui. Sem dúvida, você já tinha desenhado suas conclusões para ter permitido isso.

— Eu tive muito a fazer dentro da casa. Meu colega, Mr. Lestrade, está aqui. Ele deveria ter cuidado disso.

Holmes levantou as sobrancelhas com ar de desdém.

— Com dois homens como você e Lestrade no caso, não deve ter sobrado muito para um terceiro.

— Eu acho que nós fizemos tudo o que poderia ter sido feito. Este caso é complicado e conheço seu gosto para casos assim.

— Você não veio de táxi? — perguntou Sherlock Holmes.

— Não!

— Nem Lestrade?

— Não.

— Então deixe-nos ir e olhar dentro da casa.

Uma passagem curta levava à cozinha e aos escritórios. Duas portas se abriam para à esquerda e uma para o centro. O outro cômodo era a sala de jantar, onde ocorrera o caso misterioso. Holmes entrou e eu o segui, já sentindo o clima pesado da presença da morte naquela sala. Fui reparar os detalhes da sala depois, pois, assim que entrei no cômodo, meus olhos se fixaram no homem morto no chão. Eu nunca havia me deparado com a morte daquela forma. Lestrade, que estava na porta no cômodo, recebeu meu colega e eu.

— Este caso é complicado. Não pude achar uma pena de galinha sequer! — disse Lestrade.

— Nenhuma pista? — perguntou Gregson.

— Nenhuma.

Sherlock Holmes se aproximou do corpo e se ajoelhou perto dele examinando-o atentamente.

— Vocês têm certeza de que não há nenhuma ferida? — disse ele apontando para as pequenas gotas de sangue.

— Positivo! — disseram os dois detetives.

— Então esse sangue pertence a um segundo indivíduo, provavelmente o assassino, se é que estamos falando de assassinato. Lembra me do caso da morte de Van Jansen. Você se lembra, Gregson?

— Não.

— Então leia sobre ele, você deveria ver. Não há nada novo debaixo do sol. Tudo já foi feito antes.

Ele falava do corpo com muita precisão. Era tanta minúcia que mal poderíamos imaginar o que o conduzia. Finalmente, cheirou os lábios do homem morto e então se levantou.

— Ninguém moveu o corpo? — perguntou.

— Nada além do necessário para nossa investigação.

— Vocês já podem levá-lo, não há nada mais a ser visto.

Gregson chamou os homens para levar o corpo. Quando eles levantaram o cadáver, um anel brilhou e rolou pelo chão. Lestrade o pegou e começou a olhá-lo com atenção.

— Uma mulher esteve aqui! É um anel de casamento de uma mulher!

— Isso complica tudo — disse Gregson. — Deus sabe que já tínhamos complicações suficientes para um caso só.

— Você tem certeza de que isso não simplifica o caso? — observou Holmes. — Não vamos aprender nada encarando o anel. O que vocês encontraram no bolso do homem?

— Está tudo aqui — disse Gregson apontando para alguns objetos na escada. — Um relógio de ouro. Anel de ouro, caixa de cartão de couro russo. Nenhuma carteira, mas dinheiro solto no bolso. Edição de bolso de *Decameron*, de Boccaccio, com o nome de Joseph Stangerson. E duas cartas, uma para E. J. Drebber e outra para Joseph Stangerson.

— Qual endereço?

— American Exchange, Strand, Londres. Ambas são da Companhia de Navegação Guion e se referem à partida dos vapores de Liverpool. Está claro que esse pobre homem estava prestes a voltar para Nova Iorque.

— Você já fez alguma investigação mais específica sobre esse Stangerson?

— De imediato, mandei notas para todos os jornais e um dos meus homens foi até o American Exchange, mas não voltou ainda.

— Você mandou para Cleveland?

— Nós mandamos um telegrama pela manhã.

— Como você montou o inquérito?

— Eu apenas contei as circunstâncias e disse que seria ótimo receber qualquer informação.

— Você não fez nenhuma pergunta mais específica?

— Perguntei sobre Stangerson.

— Nada mais? Não tem nada mais que lhe interesse? Você vai mandar outro telegrama? — insistiu Holmes.

— Eu disse tudo o que eu tinha para dizer — afirmou Gregson com uma voz um tanto quanto ofendida.

— Senhores, eu observei algo que poderá nos ajudar! — disse Lestrade. — Venham aqui e observem o movimento dos papéis de parede rasgados. Embaixo deles está escrita em vermelho a palavra RACHE.

Lestrade nos olhou triunfante e prosseguiu:

— O que vocês pensam sobre isso? O assassino escreveu isso com seu próprio sangue, dando a ideia de suicídio. E por que ele escolheu aquele canto para escrever? Vou dizer. Vejam a vela ali, estava acesa no momento e era o único canto com luz na sala.

— E o que isso significa? — perguntou Gregson, de maneira depreciativa.

— Significa? Significa que a pessoa estava escrevendo o nome Rachel, mas não conseguiu terminar. Guardem as minhas palavras, vocês verão que uma mulher chamada Rachel tem algo a ver com este caso. Tudo bem você rir, Mr. Sherlock Holmes, mas o velho aqui já resolveu tudo.

— Eu lhe peço perdão pelas risadas. Você certamente merece o crédito por ter achado essa palavra, que, com certeza, tem a ver com o mistério desta noite. Eu não tive tempo de examinar o cômodo todo, mas, com sua permissão, eu o farei agora.

Nos vinte minutos seguintes, Holmes examinou cada canto possível do cômodo. Pegou sua lupa e foi passando por todos os detalhes no chão, nas paredes e em tudo que poderia ser examinado.

— Dizem que a maior qualidade de um gênio é a paciência. É uma definição ruim, mas se aplica ao trabalho de um detetive — disse meu companheiro.

— E então, o que você pensa? — perguntaram Gregson e Lestrade.

— Vocês estão indo tão bem que seria uma pena interferir — disse Holmes com um tom de sarcasmo em sua voz. — Para ajudar, eu gostaria apenas de falar com o homem que achou o corpo aqui. Vocês podem me dar seu nome e endereço?

Lestrade pegou seu caderno de notas.

— John Rance. Você poderá encontrá-lo na Rua Audley Court, 46, Kennigton Park Gate.

Holmes anotou o endereço.

— Venha, doutor, nós devemos ir e procurar por ele. Vou lhe contar algumas coisas que vão nos ajudar no caso — disse-me Holmes. Em seguida, ele virou-se para os detetives e continuou: — Houve assassinato, e o assassino é um homem. Ele é alto, está no auge da vida, tem pés pequenos e usava botas grosseiras. Estava fumando um cigarro Trichinopoly. Ele veio aqui com sua vítima em um táxi. As mãos do assassino têm dedos longos. Essas são apenas algumas indicações que nos ajudarão.

Lestrade e Gregson se olharam com um ar incrédulo.

— Se houve assassinato, como foi?

— Envenenamento — disse Holmes, com firmeza. — E outra coisa, Lestrade: RACHE, em alemão, significa "vingança". Não perca tempo procurando pela Miss Rachel.

E assim Holmes saiu do cômodo deixando os dois detetives boquiabertos.

Capítulo 4
O que John Rance tinha para contar

Deixamos o caso e seguimos para enviar um telegrama. Holmes despachou um longo telegrama e, em seguida, pediu um táxi. Ele ordenou ao motorista que seguisse para o endereço que Lestrade havia nos entregado.

— Não há nada como evidência em primeira mão — disse ele. — Na verdade, já tenho minha ideia completa sobre o caso, mas ainda precisamos saber o que não sabemos.

— Você me impressiona, Holmes — disse eu. — Com certeza você não está tão certo sobre os pareceres que você deu agora há pouco.

— Não há espaço para erro. As marcas deixam claro que um táxi passou a noite no gramado, e eu tenho a palavra de Gregson que nenhum deles foi de táxi. Assim, fica claro como os dois indivíduos do caso chegaram à casa.

— Isso parece simples, mas e quanto à altura do homem?

— Veja, eu tenho as informações quanto à pegada do homem na poeira e no barro do lado de fora; só por isso, já posso fazer cálculos simples. Fora isso, quando um homem escreve na parede, ele costuma escrever na altura dos olhos. Viu como é óbvio?

— Para mim ainda é difícil acompanhar seu raciocínio.

— Há muita coisa que ainda considero obscura, mas já me deparei com os principais fatos. Quanto aos pobres detetives, as descobertas de Lestrade só colocariam a polícia no caminho errado. A palavra RACHE, por exemplo, apesar de ser alemã, não foi escrita por um alemão. Um alemão não teria escrito dessa forma. Mas, para termos certeza disso, precisamos de mais algumas informações. Não vou lhe contar muito sobre o caso, doutor. Se eu lhe explicar todos os meus métodos, você vai achar que sou um indivíduo comum.

— Eu acredito que não vou achar isso nunca. Sua capacidade extraordinária é inegável.

Meu companheiro mostrou-se feliz ao ouvir minhas palavras. Percebi que ele era vaidoso quando se tratava de suas habilidades investigativas.

— Vou dizer-lhe outra coisa, doutor. Temos uma boa base para começar, e acredito que essa tragédia tenha ocorrido num impulso de fúria. Eu pude ver isso no padrão das pegadas. Mas vamos nos apressar, eu ainda quero ir ao concerto de Haller para ouvir Norman Neruda esta tarde.

Essa conversa ocorreu enquanto nos aproximávamos do nosso destino que, por sinal, não era um lugar muito agradável.

— A rua Audley Court está ali — disse o motorista. — Eu vou esperá-los aqui.

O lugar, como já mencionei, não era agradável; uma pequena passagem nos levava para um corredor de casas alinhadas, com aparência sórdida. Chegamos até o número 46, cuja porta era decorada com uma pequena placa onde o nome

Rance estava gravado. O guarda estava na cama, e fomos convidados a esperá-lo em uma pequena sala de estar.

Ele apareceu e aparentava estar irritado por ter sido incomodado em seu descanso.

— Eu já fiz minha declaração na delegacia.

Holmes pegou um bloco de notas do bolso, junto com uma moeda de ouro, e disse:

— Nós gostaríamos de ouvir dos seus próprios lábios.

— Eu ficarei feliz em contar tudo o que sei — disse o homem com os olhos fixos na moeda de ouro.

— Então conte-nos exatamente como aconteceu.

Rance se sentou no sofá e começou a sua narrativa disposto a não omitir nada:

— Vou lhe contar do começo. Meu turno era das dez da noite às seis da manhã. Às onze horas eu ouvi uma briga, mas era uma briga de bar comum. À uma da manhã começou a chover, e foi aí que me encontrei com Harry Murcher, que estava envolvido na briga que mencionei. Nós conversamos um pouco e eu segui meu caminho no sentido de Brixton Road. Estava tudo calmo e silencioso, não encontrei uma alma sequer no caminho, apenas um táxi ou dois passaram por mim. Eu estava caminhando, pensando na delícia que seria tomar um copo de gim naquela noite fria, quando, de repente, o brilho de uma luz me chamou a atenção na janela da casa. Eu sabia que duas das casas do Jardim Lauriston estavam vazias, então logo suspeitei que havia algo errado. Fui me aproximando e, quando cheguei à porta...

— Você parou e voltou para o portão do jardim. Por que fez isso?

Na hora Rance se levantou do sofá e ficou encarando Sherlock Holmes, assustado.

— Isso é verdade, mas como você sabe? Eu não quis entrar... Eu não quis entrar sozinho na casa. Eu sabia que teria algo estranho e me assustei. Voltei para procurar por Murcher, mas não havia nenhum sinal dele.

— Não havia ninguém na rua?

— Nenhuma alma viva, senhor, nem um cachorro sequer. Então eu tomei coragem e voltei para entrar na casa. Tudo estava silencioso, então eu segui para o cômodo com a luz acesa. A vela estava lá e foi então que eu vi...

— Sim, eu sei o que você viu. Você entrou e andou pelo quarto, ajoelhou-se perto do corpo, depois você saiu, tentou abrir a porta da cozinha e então...

John Rance ficou mais uma vez aterrorizado com as colocações de Holmes.

— Como você sabe tudo isso? Parece que você sabe mais do que deveria!

Holmes riu e disse:

— Não queira me prender por assassinato. Eu sou um dos bons, não dos maus. Mr. Lestrade e Mr. Gregson podem lhe garantir isso. Continue.

— Eu voltei para o portão e disparei minha sirene. Isso trouxe Mucher e dois outros para o lugar.

— A rua continuava vazia?

— Bem, dos bons, aparentemente, sim.

— O que você quer dizer com isso?

— Eu já vi muitos bêbados, mas nunca um que chorasse como aquele no portão.

— Que tipo de homem ele era? — perguntou Holmes.

— Um tipo de bêbado incomum, diferente dos que costumam estar na região — respondeu Rance, irritado.

— Seu rosto, suas roupas, você reparou nisso? — perguntou Holmes, impaciente.

— Bom, eu e Murcher o vimos. Era um colega alto, com rosto vermelho, e não pude ver muito mais.

— E o que aconteceu com ele depois?

— Eu aposto que ele encontrou seu caminho e está bem. Nós tínhamos a casa para olhar na hora — disse o guarda irritado.

— Como ele estava vestido?

— Com uma capa marrom.

— Ele tinha um chicote na mão?

— Um chicote? Não!

— Ele deve ter deixado cair. Você não viu um táxi depois disso?

— Não.

— Tenho receio, Rance, de que você não irá crescer na companhia. O homem que você tinha em mãos era o homem que mantém a pista desse mistério que estamos buscando. Não há como discutir sobre isso agora. Obrigado. Vamos, venha, doutor!

Nós partimos no nosso táxi, deixando nosso informante em uma situação claramente desconfortável.

— Idiota! Só de pensar na sorte que ele teve e desperdiçou, me dá raiva — disse Holmes.

— Eu ainda estou no escuro. É verdade que a descrição do homem bate com a sua. Mas por que voltar à casa depois de deixá-la? Não me parece um criminoso.

— O anel, o anel. Por isso ele voltou. Se não tivermos outra maneira de pegá-lo, sempre teremos o anel como isca. Eu vou pegá-lo, doutor. Devo agradecer-lhe por tudo. Que estudo, hein, doutor?! Eu diria um estudo em escarlate ou vermelho. Devemos usar um pouco de arte para suavizar as coisas. Agora, vamos parar para almoçar e depois sigo para Norman Neruda. Assisti-lo é algo esplêndido.

Capítulo V
Nosso anúncio traz um visitante

Nossa manhã de altas emoções não havia feito bem para minha frágil saúde. Assim que Holmes partiu para o concerto, eu deitei no sofá para tentar tirar um cochilo de algumas horas. Foi inútil. Minha mente tinha ficado extremamente agitada por todos os ocorridos. Toda vez que fechava os meus olhos, eu via o homem morto a minha frente. Era tão sinistro que eu tinha a impressão de sentir a morte daquele homem. No entanto, eu sabia que a justiça precisava ser feita.

Quanto mais eu pensava, mais extraordinária parecia a hipótese de meu companheiro. Lembrei-me de ele cheirando os lábios do cadáver; não tinha dúvidas de que, naquela hora, ele detectara algo. Então, se não fosse o veneno, o que teria dado origem à morte daquele homem? Não havia sinais de estrangulamento ou de outra razão. Enquanto não tivéssemos resolvido tudo, senti que dormir não seria algo fácil nem para mim, nem para Holmes. Sua maneira tranquila e autoconfiante me convenceu de que ele já havia formado uma teoria que explicava todos os fatos, embora ele ainda não pudesse prová-la.

Ele chegou muito tarde. Eu sabia que não tinha sido o concerto que havia mantido Holmes fora até aquela hora.

— O concerto foi magnífico. Você se lembra do que Darwin disse sobre a música? "O ser humano já tinha o poder de produzir e apreciar música antes mesmo de a fala chegar". Deve ser por isso que ela traz tantas memórias da infância.

— Essa é uma ideia ampla — observei.

— Algumas ideias precisam ter a amplitude da natureza para conseguir interpretá-la. Está tudo bem com você? Parece-me que o episódio em Brixton Road o chateou.

— Para lhe dizer a verdade — disse eu –, isso me tirou mais do sério dos que as coisas horríveis que presenciei no Afeganistão.

— Posso entender você. O mistério estimula nossa imaginação: em ambientes onde não há mistério não há imaginação, logo não há tanto horror. Você chegou a ver o jornal da tarde?

— Não.

— Até que dá conta de boa parte do caso. Não menciona o fato de que, quando levantaram o homem, uma aliança de casamento de uma mulher caiu no chão. E, para nós, isso é bom.

— Por quê?

— Olhe esse anúncio. Eu o coloquei no jornal logo depois do que aconteceu.

Ele jogou o jornal em mim e me mostrou o anúncio, que dizia: "Anel encontrado em Brixton Road. Procurar por Dr. Watson na Baker Street, 221B".

— Desculpe-me por ter usado seu nome. Se eu usasse o meu, pessoas indevidas iriam se alarmar.

— Está tudo bem. Mas eu não tenho anel algum.

— Ah, sim, você tem — disse ele entregando-me o anel.

— E quem você espera que responda a esse anúncio?

— O homem da capa marrom. Se ele não vier em pessoa, vai mandar alguém no seu lugar.

— Ele não vai considerar perigoso?

— Nem um pouco. Se minha percepção estiver correta, esse homem correrá qualquer risco para ter esse anel de volta. Ele teve a coragem de voltar ao local do crime para buscá-lo. Terá coragem de vir aqui. Você deverá se encontrar com ele em breve.

— E devo fazer o quê?

— Ah, você pode deixar ele comigo. Você tem alguma arma?

— Eu tenho meu antigo revólver.

— Esteja com ele a postos.

Eu fui para o quarto arrumar meu revólver e prepará-lo para ficar a postos, como Holmes havia dito. Quando eu voltei com a pistola, Holmes estava tocando seu violino.

— As coisas estão indo bem — disse ele. — Acabei de receber a resposta do telegrama que enviei para a América. Minha visão do caso está correta.

— E qual é? — perguntei curioso.

— Meu violino precisa de novas cordas. Escute, guarde seu revólver no bolso. Quando o companheiro chegar, não olhe muito para ele. Deixe-o comigo.

— São oito horas. Você colocou no anúncio entre oito e nove, certo?

— Sim. Ele vai estar aqui em alguns minutos.

Ele mal terminou de falar e a campainha tocou. Sherlock Holmes seguiu na direção da porta e a abriu.

— O Dr. Watson mora aqui? — perguntou uma voz clara que vinha da porta.

— Entre! — gritei de dentro.

Eu esperava a figura de um homem, mas, para minha surpresa, entrou uma mulher muito velha, toda enrugada. Ela parecia estar nervosa e, ao mesmo tempo, determinada. Olhei para o meu companheiro, que estava com uma expressão desconsolada em seu rosto.

— Foi este anúncio que me trouxe até aqui — disse ela mostrando o jornal. — O anel pertence a minha menina Sally. Seu marido trouxe com ele, ele é mordomo no barco da União, e no dia em que ele veio se encontrar com ela, estava sem. Imaginei que pudesse ter perdido. Ele fica fora de si quando bebe. Na última noite, eles foram ao circo...

— É esse anel aqui? — perguntei.

— O Senhor seja louvado! — gritou a mulher. — Sally vai ficar feliz esta noite. Esse é o anel!

— Qual é o seu endereço?

— Rua Duncan, 13, Houndsditch, um pouco longe daqui.

— A Brixton Road não se encontra entre um circo e Houndsditch — disse Sherlock Holmes bruscamente.

A velha encarou Holmes com dureza.

— O cavalheiro pediu o meu endereço. Sally mora em Mayfield Place, Peckham.

— E o seu nome é? — perguntou Holmes.

— Meu nome é Sawyer, o dela é Dennis, pois se casou com Tom Dennis.

— Aqui está o seu anel, Mrs. Sawyer — interrompi meu companheiro. — Claramente pertence a sua filha, e eu estou feliz de poder devolvê-lo a ela.

Com muitos agradecimentos, a mulher deixou a nossa companhia e seguiu seu caminho. No momento em que ela saiu, Sherlock Holmes foi para o quarto e trocou de roupa.

— Eu vou segui-la — disse apressadamente –, ela pode me levar até ele. Espere por mim.

Não consegui dormir até Holmes retornar de sua aventura. Ele saiu às nove horas, e pude ouvir o trinco da porta à meia-noite. Holmes entrou na sala com um rosto que não parecia expressar muita satisfação.

— O que foi? — perguntei.

— Ah, eu não me importo de contar uma história contra mim. Aquela criatura percebeu que eu a estava seguindo e começou a desviar o seu caminho do meu. Percebi que ela estava com um segurança dentro do carro. No entanto, consegui continuar seguindo o carro, mas, quando cheguei ao destino, para minha surpresa, ela não estava lá, e ninguém pelo nome de Sawyer ou Dennis atendeu naquela casa.

— Você não está querendo dizer — gritei extasiado — que aquela senhora foi capaz de pular de um carro em movimento sem que você ou o motorista a avistassem?

— Não era uma velhinha coisa nenhuma! Devia ser um jovem ágil e muito bom de disfarces. Isso mostra que o homem que estamos procurando é solitário, mas tem amigos prontos a se arriscarem por ele. Agora, doutor, siga meu conselho e vamos descansar.

Eu estava muito cansado. Então segui o conselho de Holmes e sentei-me em frente à lareira ao som do violino melancólico de meu amigo.

Capítulo VI
Tobias Gregson mostra do que ele é capaz.

Os jornais do dia seguinte só falavam sobre o mistério de Brixton. *O Daily Telegraph*, o *Standard*, o *Daily News*. Todos eles, cada um com um ponto de vista diferente, mas todos falando sobre a mesma coisa. Sherlock Holmes e eu lemos as notícias durante o nosso café da manhã.

— Eu lhe disse que não importava o que acontecesse, Gregson e Lestrade ficariam com a fama.

— Isso depende de como tudo terminar.

— Ah, não! Se o homem for pego, será por causa dos esforços deles, se o homem não for pego, será apesar dos esforços deles. Seja lá o que fizerem, terão admiradores.

Conforme Holmes falava, comecei a ouvir gritos e, de repente, a nossa funcionária gritava desesperada.

— Mas o que é isso? — perguntei.

— É a divisão de detetives não oficiais da Baker Street.

Quando Holmes terminou de falar, a sala foi invadida por meninos maltrapilhos tão sujos, que eu não podia acreditar.

— Atenção! — gritou Holmes. — Vocês devem mandar Wiggins sozinho e o resto permanece na rua. Vocês encontraram Wiggins?

— Não, senhor, não encontramos — respondeu um dos jovens.

— Eu não esperava que tivessem encontrado. Agora, vejam, aqui estão os salários de vocês. Vão e voltem com algo melhor.

Assim que Holmes terminou de falar, eles saíram correndo pelas escadas em direção à próxima missão.

— Teremos mais sucesso com esses meninos do que com uma dúzia de detetives. Eles podem ir a qualquer lugar, vão a toda parte, ouvem tudo. É excelente!

— É no caso de Brixton que eles estão trabalhando?

— Sim, tem algo de que desejo tirar algumas dúvidas. É uma questão de tempo. Veja quem está aí. Gregson está vindo em busca de algo!

Ouvi alguém tocar a campainha com força e, alguns segundos depois, lá estava o detetive subindo as escadas para nos encontrar na sala.

— Meu caro amigo — disse ele cumprimentando Holmes. — Você já pode me parabenizar! Eu já tenho tudo claro!

Uma certa ansiedade atravessou a expressão de meu companheiro.

— Você quer dizer no rumo mais claro? — perguntou.

— O rumo certo. Nós já temos o nosso homem e ele está preso.

— E seu nome é?

— Arthur Charpentier. Subtenente da marinha de Sua Majestade — disse Gregson, todo pomposo.

Sherlock Holmes então se mostrou aliviado e sorriu.

— Sente-se e fume um cigarro. Nós estamos ansiosos para saber mais sobre isso. Você gostaria de um pouco de uísque?

— Gostaria, sim! Sem me estender demais, deixe-me contar sobre as minhas descobertas. Nós dois gostamos de quebrar a cabeça, você vai gostar disso.

— Fico grato por sua disposição em me contar. Vamos lá! Quero ouvir! — disse Holmes.

O detetive se sentou na cadeira de balanço e começou a tragar seu charuto. Então, de repente, ele começou a rir e disse:

— O engraçado disso é que o bobo do Lestrade, que se acha esperto, seguiu a pista errada também. Ele está atrás de Stangerson, que não tem nada a ver com o crime. Eu não tenho dúvidas de que ele está prendendo o pobre homem neste momento.

— E você conseguiu sua pista como? — perguntei.

— Ah, vou lhe contar sobre isso. Claro, Dr. Watson, isso tem que ficar apenas entre nós. A primeira dificuldade que encontrei foi descobrir os antecedentes do americano morto. Algumas pessoas teriam esperado as informações, mas eu não sou assim. Você se lembra do chapéu ao lado do homem morto?

— Sim — disse Holmes —, fabricado por John Underwood and Sons, 129, Estrada Camberwell.

Gregson olhou pasmo para Holmes.

— Eu não tinha ideia de que você já sabia sobre isso. Você esteve lá?

— Não!

— Ah! — gritou Gregson numa voz aliviada. — Você não devia ter negligenciado essa chance, por mais que parecesse pequena.

— Para uma mente brilhante, nada é pequeno — disse Holmes.

— Bem, eu fui até Underwood e perguntei se alguém já tinha visto um chapéu com aquelas especificações. Ele olhou o livro de registro e viu que havia mandado o chapéu para Mr. Drebber, residente na casa dos Charpentiers. Foi assim que consegui seu endereço.

— Muito esperto! — disse Holmes.

— Depois eu fui até a madame Charpentier, achei-a muito tranquila. A filha dela também estava lá, uma garota de aparência fina, mas, conforme eu falava com ela, pude ver que ficava aflita. Isso não escapou da minha percepção. Você conhece a sensação de estar na pista certa, Sherlock. Então, perguntei se elas sabiam sobre a misteriosa morte de Mr. Enoch J. Drebber, de Cleveland. A mãe fez que sim com a cabeça, mas não disse nada. A filha começou a chorar. Eu desconfiei que elas soubessem algo sobre o assunto.

Confiante, Gregson prosseguiu:

— Eu decidi perguntar à senhora que horas Mr. Drebber havia saído da casa para pegar o trem. Ela respondeu que ele saiu às oito para pegar o trem das nove e quinze, e aquela foi a última vez que o viu. Depois de um silêncio carregado, a filha não se conteve.

"'Sejamos sinceras com esse senhor, mãe', disse ela. 'Nós vimos Mr. Drebber de novo'.

'Deus lhe perdoe por estragar a vida de seu irmão!'

'Arthur iria querer que falássemos a verdade!', afirmou a garota, com veemência."

— Naquela hora eu fiquei atônito e pedi a elas que me contassem tudo! — disse o detetive. — Então madame Charpentier começou a me contar.

"'Mr. Drebber esteve conosco nas últimas três semanas. Ele e seu secretário, Mr. Stangerson, estiveram viajando pelo continente. Eu fiquei sabendo que Copenhague foi o último lugar a que eles foram. Stangerson era um homem calmo e reservado, mas seu empregador, desculpe dizer, era exatamente o contrário. Na noite em que ele chegou, ele estava muito bêbado, seus modos deixaram todos chocados. O pior de tudo, ele era muito inconveniente com a minha filha Alice. Em uma ocasião, ele até tentou pegá-la a força.'

'Mas por que você suportou tudo isso?', perguntei.

A madame Charpentier ficou constrangida com a minha pergunta.

'Deus me perdoe por isso. Mas só passei por essa situação por dinheiro. Eu vivo uma situação escassa e meu filho, estando a bordo, custa-me muito. Mas, depois desse episódio com Alice, eu fiquei farta e mandei-o embora'.

'E depois?', perguntei.

'Meu coração se encheu de raiva e eu o mandei embora. Eu não contei nada para meu filho, pois seu temperamento é violento e ele é perdidamente apaixonado pela irmã. Uma hora depois, o Mr. Drebber voltou a minha casa.

Ele estava muito agitado e ainda mais bêbado. Ele forçou a entrada no quarto em que eu estava com a minha filha e fez alguma menção incoerente sobre ter perdido o trem. Depois ele convidou Alice para ir embora com ele alegando que lhe daria uma vida de princesa. A pobre Alice estava tão aterrorizada que ficou paralisada, mas ele a puxou pelo braço e a lançou contra a parede. Eu comecei a gritar apavorada quando meu filho Arthur entrou no quarto. Eu não sei mais o que aconteceu depois. Ouvi gritos e barulhos. Depois meu filho saiu do quarto e disse que o homem não iria mais nos amedrontar. Ele decidiu seguir o homem para saber aonde ele iria. Na manhã seguinte, eu ouvi sobre a morte misteriosa de Mr. Drebber.'"

— Bom, meus caros, essa declaração saiu da boca da Mrs. Charpentier com muitas pausas. Às vezes, ela falava tão baixo que era difícil captar as palavras. Eu fiz algumas anotações enquanto ela ia falando, o que garante que não há possibilidade de estarmos errados.

— Isso é muito bom — respondeu Holmes. — O que aconteceu depois?

— Eu perguntei a ela a que horas o filho havia retornado e ela disse não saber. Só sabia que ele tinha chegado depois de ela ter ido se deitar. Quanto tempo ele ficou fora e aonde foi, ela não sabia dizer.

— E o que você fez? — perguntou Holmes.

— Fui atrás do menino que, no instante em que foi chamado, disse na hora: "Vocês estão me prendendo por relação com a morte de Drebber, certo?". Depois dessa declaração, não havia mais nada a ser feito. Nós simplesmente o prendemos.

— Muito bem, qual a sua teoria então? — perguntou Holmes.

— Minha teoria é que ele seguiu Drebber pela Brixton Road. Quando Drebber o viu, aconteceu outra briga e Drebber recebeu um golpe no estômago que acabou sendo fatal. A noite estava tão fria e úmida que ninguém viu. Então, Arthur Charpentier arrastou o corpo da vítima para a casa vazia. Quanto à vela, o sangue e o anel, podem ter sido truques para jogar a polícia no caminho errado.

— Muito bem, Gregson! Você está se dando bem mesmo!

— Sim, acho que tudo se encaixa bem. Divirto-me em pensar em Lestrade no caminho errado!

Enquanto falávamos, o próprio Lestrade subiu as escadas e entrou na sala de casa. Ele tinha vindo consultar Sherlock Holmes, mas ficou constrangido ao ver que seu amigo estava na sala conosco.

— Este é um caso extraordinário, não é mesmo? — disse Lestrade.

— Ah, você acha, Mr. Lestrade? Achei que você já tivesse chegado a uma conclusão. Você se encontrou com o Mr. Joseph Stangerson? — perguntou Gregson com tom de desdém.

— O secretário Joseph Stangerson foi assassinado no Hotel Hallidays às seis horas da manhã de hoje.

Capitulo VII
A luz no fim do túnel

Todos nós ficamos chocados com a informação trazida por Lestrade.

— Stangerson também! — gritou Holmes.

— Já estava difícil antes, agora piorou de vez — retrucou Lestrade.

— Você tem certeza disso? — indagou Gregson.

— Eu acabei de vir de sua casa. Fui o primeiro a descobrir sua morte! — disse Lestrade.

— Nós estávamos ouvindo as descobertas de Gregson. Você se importa de contar as suas para nós? — perguntou Holmes.

— Sem problema algum — disse Lestrade se sentando. — Eu confesso ter pensado que Stangerson tinha responsabilidade pela morte de Drebber. Mas essa descoberta recente mostra que eu estava no caminho errado. Eu estava certo da ideia de que os dois foram vistos juntos na estação de Euston, por volta das oito e meia da noite. Às duas da manhã, Drebber foi encontrado morto. Eu precisava descobrir o que tinha acontecido nesse meio tempo. Então eu telegrafei para Liverpool dando uma descrição detalhada do homem, advertindo-os para ficarem de vigia nos barcos americanos. Em seguida parti para procurar informações em todos os hotéis e alojamentos próximos de Euston.

— Afinal eles deveriam se encontrar em algum lugar antes, não é mesmo? — disse Holmes.

— E assim foi. Eu passei a tarde toda fazendo inquéritos. Esta manhã, cheguei cedo ao hotel Hallidays e perguntei se Mr. Stangerson estava morando lá. Para minha alegria, disseram-me que sim. E ainda informaram-me que ele estava esperando por um homem havia dois dias, sem sair do quarto.

Lestrade respirou fundo e continuou:

— Eu subi para encontrá-lo. Imaginei que, ao aparecer de surpresa, o faria dizer coisas inesperadas. Quando subi, encontrei algo que não gostei embaixo da porta: uma mancha de sangue. Dei um grito, meu companheiro rapidamente subiu. A porta estava trancada, nós demos com nossos ombros e, para nosso terror, encontramos Joseph morto. Parecia ter levado uma facada. E, agora, vem a parte mais estranha de todas. O que vocês acham que estava escrito acima do homem assassinado?

— A palavra RACHE, escrita com letras de sangue — disse Holmes.

— Exatamente — disse Lestrade.

Havia algo tão metódico e incompreensível nesse assassino que eu ficava ainda mais atormentado com a ideia.

— O assassino foi visto. O menino que passava com o leite o viu descendo por uma escada apoiada na janela do hotel. Ele desceu tão tranquilamente, que o menino imaginou que fosse alguém fazendo reparos no estabelecimento. Ele não prestou muita atenção, pois não havia achado nada demais. Só reparou que o homem era alto, tinha um rosto avermelhado e estava com um casaco longo e marrom. Nós encontramos no quarto uma bacia d'água e uma toalha, o que indicava que ele lavou as mãos e limpou sua faca.

— Você achou algo no quarto que levasse ao assassino? — perguntou Holmes.

— Nada. Stangerson tinha a carteira de Drebber no bolso, mas isso era comum, já que ele fazia todos os pagamentos. Quaisquer que sejam os motivos desse crime, com certeza dinheiro não é um deles. No bolso do homem encontrei um bilhete que dizia: *"J. H. está na Europa"*.

— Nada mais?

— Nada de importante. Havia uma revista em cima da cama, seu charuto estava aceso. Também vi um copo d'água na mesa e, perto da janela, tinha uma caixa com medicamentos.

— Meu caso está completo! — disse Sherlock Holmes levantando-se da cadeira de maneira exultante.

Os dois detetives olharam para ele maravilhados.

— Eu o tenho em minhas mãos. Existem, é claro, alguns detalhes para serem ajustados. Mas eu tenho certeza do que aconteceu do momento em que Drebber saiu da estação até seu corpo ser encontrado. Você pode me descrever as pílulas?

— Eu as tenho comigo — disse Lestrade mostrando uma pequena caixa branca. — Eu as peguei junto com a carteira e o telegrama, na intenção de colocá-los num lugar seguro no Departamento de Polícia.

— Dê-me as pílulas — disse Holmes. — Agora, doutor, diga-me, essas são pílulas comuns?

Elas certamente não eram. Pareciam pequenas pérolas cinza e quase transparentes.

— Pela transparência e leveza, eu imagino que elas sejam solúveis em água — disse eu.

— Precisamente — respondeu Holmes. — Agora, você se importaria de buscar o pequeno cachorro que já vem sofrendo há tanto tempo, que até nossa funcionária pediu para que você acabasse logo com a dor dele?

Eu desci as escadas, peguei o cachorro e o levei para a sala em que estavam Holmes e os detetives. Eu o abracei e o coloquei sobre uma almofada no chão.

— Agora, eu vou cortar uma dessas pílulas em duas partes. Metade eu guardo, metade eu coloco nesta taça de vinho, como se fosse água, apenas para testar se é solúvel, como disse meu amigo Watson — disse Holmes.

— Isso é interessante, só não vejo como nos ajuda no caso da morte de Mr. Joseph Stangerson — disse Lestrade.

— Tenha paciência, meu amigo, paciência! Agora eu vou colocar um pouco de leite nessa mistura aqui para ficar mais interessante ao cachorro.

Conforme falava, ele colocou a taça em frente ao cão, que rapidamente bebeu tudo. Ficamos todos esperando alguma reação do cachorro, mas, conforme passava o tempo, nada acontecia. Sherlock olhava em seu relógio demonstrando impaciência. Seu rosto foi assumindo uma fisionomia de descontentamento, enquanto os dois detetives olhavam para ele rindo da situação.

— Não pode ser uma coincidência! — disse Holmes andando de um lado para o outro. — Eu suspeitei dessas pílulas no caso de Drebber e agora elas foram encontradas na ocasião da morte de Stangerson. É impossível! Eu não estou errado! Ah, já sei!

Holmes pegou na caixa outra metade de outra pílula, adicionou mais leite ao copo, dissolveu-a e deu para o cachorro. Alguns segundos depois, o pobre animal estava se retorcendo e caindo morto bem a nossa frente.

Sherlock Holmes então respirou aliviado.

— Eu deveria ter tido mais fé. É evidente que, depois de uma longa construção do raciocínio dos fatos, seja difícil haver alguma probabilidade de erro. Uma das pílulas da caixa era o veneno mortal, já a outra não faria mal nem a um cachorro.

Essa última declaração foi tão impressionante que eu tinha dificuldade em crer que ele estava bem da cabeça. Entretanto, lá estava o cachorro morto, provando que a conjectura de Holmes estava certa. Na minha própria mente os mistérios já estavam ficando mais claros.

— Eu sei que tudo isso parece estranho para vocês — continuou Holmes –, mas as pistas que para vocês tornaram o caso mais obscuro, para mim foram a chave na dedução e na construção da lógica do caso. O crime mais comum pode trazer mais dificuldades por apresentar poucos detalhes para dedução. Esses detalhes estranhos facilitam tudo, pois constroem a lógica quando observados por alguém talentoso.

Mr. Gregson, que já se mostrava impaciente com o discurso de Holmes, não pôde mais se conter:

— Olhe aqui, Sherlock Holmes, nós sabemos que você tem muita sabedoria e seus próprios métodos de trabalho. Mas agora nós precisamos de algo a mais além de teoria e falatório, precisamos pegar o cara. Eu já entendi que minhas suposições estavam erradas, as de Lestrade também. E você pode nomear quem fez isso?

— Não posso evitar de dizer que Gregson está certo, precisamos de uma resposta clara. Nós erramos, mas você também não nos apresentou nada claro — observou Lestrade.

— O atraso em prender o assassino só lhe dá mais tempo de fazer mais atrocidades — disse eu.

Conforme falávamos, Holmes continuava perdido em seus próprios pensamentos, sem se importar muito com o que estávamos dizendo a ele.

— Não vai haver mais assassinatos. Podem ficar tranquilos quanto a isso. Vocês me perguntaram se eu sei o nome do assassino. Sim, eu sei. Mas entre saber e pegá-lo existe uma diferença. Entretanto, eu espero poder fazer isso em breve. Não pode haver pressa, é preciso delicadeza agora. Qualquer ato brusco pode nos tirar da rota certa. Fiquem tranquilos, mas eu estou desconfiado que esse homem seja das forças oficiais. E, no momento, eu preciso agir. Depois comunico a vocês o que fazer.

Gregson e Lestrade não ficaram nem um pouco satisfeitos com a fala de Holmes, muito menos com sua alusão ao fato de o culpado ser da polícia. Contudo, não tiveram muito o que fazer. No instante em que Holmes terminou de falar, o jovem Wiggins entrou na sala e avisou que o táxi já estava à espera.

— Muito bem, o taxista está me esperando. Wiggins, peça a ele que me ajude com essas caixas.

Eu estava surpreso por Holmes estar partindo para uma jornada sem ter me avisado sobre isso. Ele pediu que o taxista entrasse na casa e pegasse uma caixa no chão. No momento em que o homem abaixou, Holmes apontou seu revólver e, segurando o homem, disse:

— Companheiros, deixem-me apresentar a vocês o assassino de Enoch Drebber e Joseph Stangerson, Mr. Jefferson Hope.

Tudo aconteceu tão rápido, que eu estava chocado com aquela cena diante de meus olhos. No momento em que Holmes disse aquelas palavras, o homem tentou fugir. Mas Holmes e os dois detetives pularam para cima dele e então começou uma luta sem fim. O homem era forte e dava golpes certeiros nos três, que quase não conseguiram pegá-lo. Finalmente, Lestrade encaixou um golpe no assassino e o imobilizou. Nós só nos sentimos seguros quando ele foi algemado.

— Nós temos o táxi dele, coloquem-no nele e já podem levá-lo para a Scotland Yard. E assim chegamos ao fim do nosso mistério. Ficarei feliz em contar todos os detalhes para vocês amanhã.

Parte 2
O país dos Santos
Capítulo 1
No deserto do Colorado

Na porção central da América do Norte, está um deserto árido e repulsivo que por anos foi uma barreira para o avanço da civilização. De Serra Nevada até Nebraska, e de Yelowstone River, no norte do Colorado, até o Sul, a região é de desolação e silêncio.

Nessa terra não há habitantes e até mesmo a natureza não se apresenta de maneira acolhedora para a vida. No mundo inteiro não há uma visão mais triste do que a de Serra Nevada. Não há sinal de vida, não há pássaro no céu, tudo é cinza e triste. Toda planície é marcada por manchas de álcali.

Nessa planície, dizemos que não há vida, não há cor, mas talvez isso não seja a mais completa verdade. No alto de Serra Nevada podemos ver alguns índios aventureiros que passam por ali. Espalhados por todos os lados estão os ossos. Aproximem-se! São ossos, alguns de animais, outros de seres humanos. Por milhares de quilômetros é possível observar os restos daqueles que morreram no caminho.

Nesse cenário encontra-se um viajante solitário. Quem o observasse não saberia dizer se ele estava perto dos 40 ou dos 60 anos. Seu rosto era magro, a pele escura toda enrugada, cabelos ralos unidos a uma barba desgranhenta. Andava apoiado em sua arma e suas roupas largas indicavam que já havia perdido muito peso. O homem estava morrendo de fome e de sede.

Foi se arrastando pelo barranco em busca de água, sem obter sucesso. Em toda aquela paisagem não havia um sinal de esperança. Carregava um manto cinza pesado em seus ombros e pensava: "Por que morrer aqui e não em um leito de plumas como estive já uma vez?". Ele jogou o manto no chão e dentro dela estava uma criança com olhos assustados e feição aterrorizada.

— Você me machucou — disse a vozinha da criança.

— Machuquei? Desculpe, não foi de propósito.

Depois de dizer isso, o homem ajoelhou-se perto do xale e abraçou a criança linda, que devia ter por volta de cinco anos de idade. A criança estava abatida, mas seu aspecto indicava que tinha sofrido menos que seu companheiro.

— Está doendo ainda?

— Dê um beijo que passa. É assim que a mamãe faz. Afinal, onde está a mamãe?

— Sua mãe foi embora, muito em breve você irá se encontrar com ela.

— Embora? Mas ela não me deu tchau. Por quê? E agora já faz três dias que estamos sem ela. Estou com sede. Onde tem água? E comida?

— Não temos nada, minha querida, nem água, nem comida. Tenha um pouco de paciência, tudo vai ficar bem. Encoste a cabeça aqui e não tenha medo. O que é isso em suas mãos?

— São coisas lindas! Quando chegar em casa, vou dar

para meu irmão Bob! — a menina segurava dois brilhantes na mão.

— Daqui a pouco você verá coisas mais bonitas que essas. Lembra quando partimos do rio?

— Lembro.

— Pois é, houve um erro. Nós achamos que encontraríamos outro rio. Mas houve um erro na bússola e o rio não apareceu. A água que trazíamos acabou. E agora sobraram só umas gotas. E...

— O senhor não pode se lavar! — interrompeu a menina.

— Nem beber. Alguns que estavam com a gente já foram para o céu. Mr. Bender foi o primeiro, depois o índio Pete, a Mrs. McGregor, Johny Hones e, por fim, sua amada mamãe.

— Então a mamãe morreu? — a menina começou a soluçar inconsolavelmente.

— Sim, todos se foram. Menos eu e você. Mas nossa situação não melhorou. Não nos resta mais nada.

— Nós também vamos morrer? — perguntou a criança erguendo o rosto molhado pelas lágrimas.

— Parece que sim.

— Ufa, por que não me disse antes? — disse a criança parecendo estar mais tranquila. — Agora sim, já sei que morreremos e vamos juntos para o lugar em que a mamãe está.

— É verdade, minha querida. Você vai!

— Você também vai! Falta muito para irmos para o céu?

— Não sei, acho que não muito.

O homem estava desolado por se encontrar naquela situação com sua pobre filha. Do céu vinham voando três pássaros escuros. Os abutres — o aparecimento daquelas aves era o prenúncio da morte.

— Veja, papai, as galinhas! — gritou a garota batendo palmas para espantar os pássaros. — Escute, papai, foi Deus que fez este lugar?

— Sim, querida — respondeu o homem um pouco desconfortável com a pergunta inesperada da menina.

— Ele também fez Illinois e Missouri — continuou ela. — Mas não parece que foi Ele que fez isso aqui, pois esqueceu as árvores e a água.

— Vamos rezar, meu amor?

— Mas ainda não está de noite.

— Não importa. Deus escuta nossas orações a qualquer hora. Repita as rezas que lhe ensinamos.

— Reze comigo, papai.

— Não me lembro. Vá rezando que eu acompanho você.

— Então se ajoelhe ao meu lado, coloque as mãos assim... Isso, assim está bom.

Se houvesse alguém observando, além dos abutres, seria um espetáculo triste e estranho para a ocasião. Terminada a oração, a menina se deitou no colo de seu protetor e dormiu. O homem estava cuidando do sono de sua pequena, mas não aguentou. Já se passavam três noites e três dias que ele não dormia. Lentamente seus olhos se fecharam e ambos caíram em um sono profundo.

Enquanto dormiam, ia se aproximando deles uma grande névoa de poeira. Certamente não eram animais. Se alguém estivesse observando, veria a grande caravana que se aproximava. Provavelmente algum povo nômade que partia em busca de outro lugar para repousar. Eram muitos cavalos, homens, mulheres, crianças e carroças. Mas o barulho imenso daquela caravana não foi suficiente para acordar os dois.

Na frente da caravana estavam homens fortes, montados em cavalos, e pareciam dar a direção a todos do povo.

— Os poços estão à direita! — disse um deles.

— À direita da Serra Nevada, depois alcançamos o Rio Grande — disse outro.

— Não temam a falta de água, aquele que a faz brotar da rocha não abandonará o povo escolhido.

— Amém! — respondeu o grupo com gritos alegres.

De repente, o mais velho dos guias parou ao pensar ter visto algo. A palavra "pele-vermelha" começou a rondar a caravana. Eles imediatamente pararam os cavalos e sacaram as armas.

— Não pode haver índios aqui! Já atravessamos a região dos Pawnees!

— Pode checar, irmão Stangerson?

— Nós vamos com você! — gritaram alguns.

— Deixem os cavalos aqui e nós iremos lá.

Todos avançaram rapidamente de forma silenciosa. Foram subindo rocha por rocha, acompanhando cada pedaço do local. O jovem que ia a frente foi o primeiro a dar o sinal. De repente, cheio de espanto, avistaram algo que os comoveu profundamente. Lá estavam o homem, a pobre menininha e três abutres empoleirados ao redor deles que, vendo os que chegavam, começaram a grasnar de forma horrível.

O barulho dos abutres acordou o pai e a filha, que olharam atônitos para todos a sua volta. Ele parecia não acreditar no que estava vendo a sua frente. Era tudo muito louco.

— Devo estar delirando — disse ele.

A criança parecia assustada, mas não disse uma palavra, agarrou-se ao pai e apenas observava tudo ao redor. Então, os viajantes da caravana explicaram e convenceram os dois de que não eram parte de um delírio. Era real. Eles pegaram a menina no colo, enquanto dois outros homens carregaram o pai ajudando-o a descer até as carroças.

— Meu nome é John Ferrier. Eu e a garotinha somos os únicos sobreviventes de uma caravana de 21 pessoas. Os outros morreram de fome e sede.

— Ela é sua filha? — alguém perguntou.

— Acabou se tornando. É porque eu a salvei. Ninguém jamais a tirará de mim. A partir de hoje seu nome será Lucy Ferrier. Mas quem são vocês?

— Somos quase dez mil. Os filhos de Deus perseguidos. Os escolhidos do anjo Merona — respondeu um jovem.

— Nunca ouvi falar — disse o viajante. — Pelo jeito ele escolheu muita gente.

— Não zombe do que é sagrado! Somos aqueles que acreditam nas Escrituras Sagradas gravadas em letras egípcias que foram entregues ao santo Joseph Smith em Palmira. Viemos de Nauvoo, no Estado de Illinois, onde tínhamos nosso templo. Estamos à procura de um lugar sem homens violentos e ímpios, ainda que seja no meio do deserto.

O nome Nauvoo trouxe recordações a John Ferrier.

— Compreendo — disse o viajante. — São mórmons.

— Isso, somos mórmons — responderam a uma só voz.

— E para onde vão?

— Não sabemos. A mão de Deus nos guia na pessoa do nosso profeta. Vamos levar você até ele para saber o que deve ser feito.

Então, levaram os dois viajantes até o profeta, que estava à frente de toda a caravana. Eram muitas pessoas, então os que estavam na frente já estavam no topo das montanhas, atravessando para o outro lado da serra. Lá estava o profeta com um livro de couro escuro; colocando-o de lado, ouviu a história do homem e da menina. Depois voltou-se para eles:

— Vocês podem ir conosco, desde que se convertam a nossa fé. Não queremos lobos no rebanho.

— Eu vou em qualquer condição. Aceito!

— Levem-nos ao irmão Stangerson — disse o chefe. — Dê a eles de comer e de beber. A tarefa de Stangerson será instruí-lo em nossa religião. Agora, avante! Avante! Rumo a Sião!

— Avante para Sião! — repetia a multidão aos gritos.

— Fiquem aqui! Em alguns dias vocês estarão bem! Mas lembrem-se, vocês deverão seguir a nossa religião para sempre. Assim falou Brigham Young, e ele fala pela voz de Joseph Smith, que é a voz de Deus — disse Stangerson.

Capítulo 2
A flor de Utah

Os migrantes mórmons sofreram muitas provações até chegarem no seu paraíso final. Lutaram contra condições climáticas não favoráveis, animais selvagens, sede, cansaço, doenças... Todavia, as longas viagens e as fortes emoções vividas fizeram deles um povo forte. Não houve um só que não caísse de joelhos numa sentida prece quando avistaram o vale do Utah, cheio de sol e hectares prontos para receberem o plantio.

Naquele lugar, eles começaram então as edificações. Num tempo recorde, surgiam casas, praças, uma verdadeira cidade despontava à frente de todos. Tudo ia bem na colônia que havia encontrado, como dizia seu líder Brigham Young, a Terra Prometida.

Os dois viajantes, John Ferrier e a menininha, acompanharam os mórmons até o fim da sua grande caravana. A pequena Lucy se deu muito bem na carroça de Stangerson, na companhia das suas três mulheres e do seu filho. Ela conseguiu se refazer após o golpe que foi a morte da mãe, e vivia uma vida boa junto à sua nova "família". John também não demorou em conquistar a estima de seus companheiros;

tão grande era essa estima, que ele receberia um pedaço de terra tão bom quanto o dos outros pioneiros. Com exceção, é claro, do próprio Young e dos quatro anciões: Stangerson, Kemball, Johnston e Drebber.

Na terra adquirida pelo seu trabalho, Ferrier construiu para si uma sólida casa de troncos de árvores, que foi crescendo conforme os anos se passaram, até se transformar numa espaçosa vivenda. Ferrier era um bom administrador, sabia tratar dos negócios. Trabalhava de sol a sol, e a terra que tinha o ajudava, pois era fértil. Tudo que era seu prosperou grandemente. Em três anos, já era o mais bem instalado de seus vizinhos; em seis, já tinha muitos recursos; e, em nove anos, já era um dos homens mais ricos de Salt Lake City, tendo seu nome conhecido por toda parte.

Havia apenas um ponto em que ele discordava de seus companheiros: estabelecer em casa um harém. Ele não explicava o motivo de sua obstinada recusa. Havia muita fofoca sobre qual seria a real razão. Uns diziam ser por conta de um antigo amor, outros diziam que ele tinha temor das despesas e muitos outros boatos. Fosse qual fosse o motivo, Ferrier seguia no celibato. Em todo o resto, ele era extremamente ortodoxo e gozava de boa reputação da comunidade religiosa.

Lucy Ferrier cresceu na casa com seu pai adotivo. À medida que foi crescendo, começou a ajudar o pai nas tarefas cotidianas. Era uma excelente dona de casa. Era uma moça bonita, cheia de talentos e de muita força. De pequena menina indefesa, Lucy se tornou uma mulher maravilhosa e ainda filha de um homem muito rico.

Mas não foi só seu pai que percebeu que ela havia se tornado uma linda mulher. De fato, ela mesma demorou a perceber, até que, um dia, uma ocasião muito séria fez com que Lucy Ferrier estivesse prestes a ter uma nova vida.

Era uma manhã fria de junho, e todos trabalhavam como abelhas que escondiam o mel na colmeia. Nos campos e nas ruas podiam se avistar longas filas de trabalhadores, com mulas carregadas, todas seguindo para o oeste, visto que a febre do ouro havia estourado por lá. Havia também bois, ovelhas, homens e cavalos que seguiam cansados depois de longas jornadas. No meio desse burburinho estava Lucy, com o belo rosto acompanhado de seus cabelos esvoaçantes ao vento. Todos que passavam por ela se impressionavam com sua beleza e esplendor.

Lucy estava chegando à entrada da cidade quando encontrou-a barrada por uma manada de bois. Habituada a lidar com gado, Lucy não se alarmou e foi tentando encontrar passagem por onde seria possível. Entretanto, aquela não era uma manada qualquer, era violenta, e os bois começaram a golpear o cavalo de Lucy, que relinchava e galopava com força para tentar escapar. A moça se segurava e, se não fosse tão esperta, já teria sido derrubada. A situação era perigosa, ela fazia de tudo para se manter firme na sela, pois qualquer escorregada significaria morrer pisoteada por aqueles bois. Lucy já estava desistindo quando uma mão veio e começou a conduzir o seu cavalo para fora da manada.

— Espero que a senhora não esteja ferida — disse o homem que a salvou.

Ela olhou o homem e deu uma risada despretensiosa.

— Levei um grande susto!

— A sua sorte foi manter-se firme na sela — disse o homem com tom sério. Era um jovem alto, com roupas de couro, parecia ser um caçador.

— Creio que é a filha de John Ferrier — observou ele. — Vi-a sair da casa dele a galope. Mande lembranças de Jefferson Hope, de St. Louis. Se ele é o Ferrier que eu estou pensando, ele foi muito amigo de meu pai.

— Por que não vem comigo e pergunta a ele?

O jovem pareceu interessado na proposta da moça.

— Eu irei, mas acabo de passar dois meses nas montanhas, não estou em condições de fazer uma visita.

— Meu pai tem muito que lhe agradecer; se essa manada me matasse, ele nunca mais seria o mesmo.

— Nem eu! — acrescentou o homem.

— Você? Mas não vejo motivos, não somos nem amigos.

O rosto melancólico do caçador foi tão evidente que Lucy se pôs a rir.

— Ora, nos tornamos agora. Bom, tenho de ir, esperaremos por você.

— Até breve — disse o homem.

Lucy saiu galopando em seu cavalo em direção a sua casa. O jovem Jefferson Hope continuou levando seu gado com seus companheiros. Todos só falavam da mesma coisa. A vista da bela moça tinha despertado o coração vulcânico do jovem. O amor que brotou em seu coração foi tão forte, que Hope não parava de pensar na bela moça desde que ela saiu. Hope estava habituado a vencer em tudo que começava. Assim, determinou que sairia vitorioso na empreitada de conquistar Lucy.

Na mesma tarde, ele seguiu para visitar John Ferrier e sua filha. As visitas à fazenda se tornaram frequentes e Hope acabou ficando amigo da casa. Ferrier trabalhava tanto, que tinha poucas ocasiões para saber o que estava acontecendo no mundo. Nisso, Jefferson Hope lhe era muito útil, pois lhe contava sobre suas aventuras rotineiras. Onde quer que houvesse aventura, lá estava Jefferson Hope. Em pouco tempo, o jovem se tornou o predileto do velho fazendeiro. Nas ocasiões em que ele estava lá, Lucy ficava quieta, mas seus olhos demonstravam que estava feliz com a presença do jovem em sua casa.

Numa tarde de verão, ele surgiu em seu cavalo e parou no portão. Lucy correu para recebê-lo. Hope desceu do cavalo e aproximou-se da jovem.

— Estou de partida, Lucy. Não vou lhe pedir agora que venha comigo, mas se eu assim fizer da próxima vez, você virá?

— E quando será? — perguntou ela.

— Daqui a dois meses, minha amada. Nada poderá nos separar.

— E meu pai? O que dirá a ele?

— Ele já aprovou, contanto que as minas produzam algo. E disso eu não tenho dúvidas.

— Então está tudo bem! Se você e meu pai já ajeitaram tudo, eu não me oponho a nada! — ela se jogou num abraço apaixonado.

— Graças a Deus, então deixe-me ir. Quanto mais eu ficar, mais difícil será para partir, e os homens já estão me esperando no cânion. Adeus, até daqui dois meses.

Terminando de dizer essas palavras, o jovem se jogou no seu cavalo e partiu. Lucy o acompanhava com os olhos, num olhar apaixonado e intenso. Ela ficou no portão, e quem a visse poderia afirmar que era a moça mais feliz de Utah.

Capítulo 3
John Ferrier fala com o profeta

Três semanas se passaram desde que Jefferson Hope havia partido com seus companheiros. John Ferrier sentia um aperto no coração quando pensava na jovem e que em breve iria perdê-la. Mas a felicidade de Lucy o fazia abrir mão de seus sentimentos egoístas. E outra certeza que ele tinha é que nunca permitiria que sua filha se casasse com um mórmon. No entanto, ele nada podia falar sobre o assunto, pois era algo tremendamente perigoso na terra dos santos. Tão perigoso, que colocaria sua vida em perigo ao falar sobre tal tema.

O caráter invisível e misterioso dessa organização religiosa era terrível. Parecia onipotente e onisciente, sem que ninguém a visse ou ouvisse. O homem que se erguesse contra seus preceitos poderia desaparecer sem que ninguém soubesse como e quando. Uma palavra errada, um gesto imprudente poderiam ser seguidos pela aniquilação. Muitos viajantes faziam referências a bandos que vinham armados e mascarados e os roubavam nas trevas de forma silenciosa. Esses boatos eram tão fortes, que o grupo ficou conhecido como Bando de Danite ou dos Anjos Vingadores.

Ninguém sabia ao certo quem eram os componentes

dessa impiedosa sociedade, mas eles aterrorizavam os moradores de Utah. Como ninguém sabia quem era do bando, todos desconfiavam de todos, até mesmo o mais amigo poderia ser o inimigo.

Em uma manhã, John Ferrier estava cuidando de suas plantações quando ouviu o portão da fazenda se abrindo; olhando bem, viu que um homem ruivo e corpulento avançava pelo seu jardim em direção a casa. O coração pulou no peito, pois não era outro senão o grande Brigham Young em pessoa. Aterrorizado e com medo, pois a visita do chefe dos mórmons não era boa coisa, Ferrier correu para dar as boas-vindas ao mestre e o acompanhou até a sala.

— Irmão Ferrier, os verdadeiros crentes têm sido seus amigos fiéis. Nós o salvamos da morte e o trouxemos para o Vale Sagrado, dividimos com você o nosso pão e lhe oferecemos uma ótima porção de terra, que o tornou um homem rico. Não é mesmo?

— É sim.

— Em troca de tudo isso, só lhe pedimos que abraçasse a verdadeira fé mórmon. Foi isso que você prometeu fazer, mas não tem cumprido.

— De que modo eu não cumpri? Eu frequento o templo, contribuo para o fundo comum...

— E onde estão suas mulheres? — interrompeu Bigham Young. — Chame-as para que eu as conheça.

— É verdade, eu não me casei — respondeu Ferrier. — Mas as mulheres eram poucas e tinham muitos com mais direitos do que eu. Além disso, eu não estava só, tinha a minha filha, que sempre cuidou e cuida de mim.

— É a respeito dela que quero falar. Ela se tornou a mulher mais bela da região, a flor de Utah. Muitos homens se interessam por ela.

John Ferrier gelou consigo mesmo.

— Tenho ouvido história sobre ela. Algo sobre um noivo incrédulo. Sem dúvida, são conversas tolas. Mas você conhece o décimo terceiro mandamento de Joseph Smith. Toda donzela com a verdadeira fé deve casar-se com um dos eleitos para não cometer o pecado mortal ao unir-se com um pagão.

John Ferrier permaneceu mudo, brincando distraidamente com o chicote.

— Nesse ponto sua fé será colocada à prova. Mas não queremos impor nada. Temos dois anciãos com filhos homens e ricos dispostos a se casar com a sua filha, Drebber e Stangerson. Qual desses rapazes lhe agradaria para sua filha?

Ferrier ficou calado por um tempo, depois respondeu:

— Nos dê mais um tempo, minha filha é jovem demais para se casar.

— Ela terá um mês para escolher. No fim desse tempo, deverá nos dar a sua resposta — disse Young levantando-se e caminhando para a porta. No momento em que passou por ela, virou-se para trás e disse:

— É melhor você e sua filha seguirem a ordem do conselho sagrado do que se tornarem esqueletos no deserto.

Com um gesto ameaçador, ele saiu pela porta em direção ao portão da fazenda.

Ferrier estava desolado sentado à porta e pensando em como contar aquilo para sua amada filha. Quando olhou para trás, deparou-se com Lucy, que esperava atrás da porta.

— Foi impossível não escutar. Meu pai, o que faremos?

— Não tenha medo — disse ele puxando-a para si. — Vamos encontrar uma saída. Você ama aquele rapaz, certo?

Ela não respondeu nada.

— Eu sei a resposta, minha filha. É um belo rapaz, um bom cristão, ficaria feliz de vê-la com ele. Arranjarei um modo de contar a ele sobre nossa triste situação. Tenho certeza de que ele virá o mais depressa possível.

— Mas eu temo por você, papai. Ouvem-se histórias medonhas sobre aqueles que se opõem aos profetas.

— Ainda não nos opusemos. Calma! Temos um mês inteiro para nos mudar daqui.

— Deixar Utah?

— Não vejo outra solução.

— E a fazenda?

— Reuniremos todo o dinheiro e abandonaremos o resto. Para dizer a verdade, Lucy, não é a primeira vez que penso nisso. Não gosto de andar rastejando como essa gente faz para o profeta. Sou um livre cidadão americano, não me habituo a essas coisas.

— Mas o profeta não nos deixará ir embora.

— Espere Jefferson chegar e então trataremos disso. Por enquanto, não tenha medo, nem fique de aparência tristonha, senão o profeta poderá vir me pedir satisfação. Ainda não há perigo, não tema.

John Ferrier disse essas palavras com firmeza, mas ela não pôde deixar de notar que, naquela noite, ele trancou a casa como nunca havia feito antes e carregou a velha espingarda, deixando-a a postos no quarto.

Capítulo IV
A fuga pela vida

Na manhã seguinte, John Ferrier não demorou em tomar seu caminho em direção a Salt Lake City para se encontrar com um colega que iria para Serra Nevada. Ele confiou a ele a mensagem para Jefferson Hope.

Ao voltar para casa, viu que, no portão, estavam dois cavalos. Achou estranho, mas achou mais estranho ainda quando entrou em casa e viu dois jovens parados em sua sala de visita. Um estava sentado no sofá, enquanto o outro estava de pé junto à janela. Os dois saudaram Ferrier com um aceno de cabeça, e o que estava sentado começou a conversa.

— Talvez o senhor não nos reconheça. Esse é o filho do ancião Drebber, e eu sou o Joseph Stangerson. Viajamos juntos pelo deserto quando o Senhor o acolheu em nosso rebanho.

Ferrier inclinou a cabeça com certa frieza.

— Viemos aqui, a conselho de nossos pais, pedir a mão de sua filha. Cabe a você escolher. Como tenho quatro esposas, e o irmão Drebber tem sete, creio ter mais direito.

— Nada disso, irmão Stangerson! O importante não é o número de mulheres, mas sim a capacidade de sustentá-las. Como sou mais rico, acredito que seja mais fácil.

— Mas as minhas perspectivas são melhores. Sou mais velho e tenho um cargo mais alto na igreja.

— Deixemos a escolha para a jovem então — concluiu Drebber.

John Ferrier estava ficando cada vez mais nervoso ao ouvir os dois aguçados com a ideia de se casar com sua filha.

— Escutem bem. Quando minha filha decidir, vocês podem vir aqui. Mas, antes disso, não quero ver a cara de vocês. Saiam logo daqui!

— Você vai se arrepender por ter nos tratado dessa forma! A mão do Senhor irá pesar sobre você! — disseram os dois saindo da casa.

— Pois deixe-me começar então — o velho Ferrier estava pegando sua espingarda, mas Lucy o impediu.

Antes que ele pudesse alcançá-los, os dois já haviam se mandado em seu cavalo.

— Hipócritas! Prefiro vê-la morta a casada com um deles!

— Eu também prefiro a morte, pai. Mas Jefferson há de voltar.

— Sim, quanto mais cedo ele chegar, melhor.

Ferrier tinha certeza de que receberia alguma retaliação por parte dos anciãos. Mas o que seria? Ele mal poderia imaginar, mas estava aterrorizado com a ideia de ver sua filha com qualquer um daqueles homens.

Ele estava à espera de alguma admoestação e realmente a recebeu. Só que de modo imprevisto. Ao levantar-se na manhã seguinte, encontrou um pequeno retângulo de papel preso por um alfinete nas cobertas de sua cama, exatamente na altura do peito. Em letras de forma grandes podia-se ler: "RESTAM VINTE E NOVE DIAS PARA QUE VOCÊ SE EMENDE, ANTES DE..."

As reticências eram mais assustadoras que qualquer possibilidade de ameaça. Como aquilo tinha chegado ao seu quarto era o que deixava Ferrier mais aflito. O velho amassou o papel e jogou fora sem contar nada a sua filha. De que valeria a força e a coragem dele diante desse inimigo misterioso e poderoso.

Na manhã seguinte, ele ficou ainda mais abalado quando estavam tomando café da manhã e Lucy, surpresa, apontou para cima. No meio do teto apareceu um grande 28. Nessa noite, pegou a espingarda e ficou de guarda até de manhã. Não viu nem ouviu coisa alguma, mas um grande 27 apareceu pintado do lado de fora da sua porta. Assim foram se repetindo todas as manhãs, e seus inimigos deixavam as marcas de que os dias estavam passando. Sua única esperança estava na chegada do caçador vindo de Nevada.

Dia após dia se passava, sem sinal do caçador. Um a um, os números iam diminuindo, e nem sinal dele. O velho já estava perdendo suas esperanças da vinda do caçador. Ele sabia que sozinho jamais conseguiria fugir dali, no entanto estava disposto a perder a vida do que ver sua filha vivendo tamanha desonra. Quando chegou no dia anterior ao fim do prazo, ele se encontrava em sua mesa completamente desolado e desesperado com tamanha situação de impotência na qual se encontrava. Soluçava de tanto chorar.

De repente, começou a ouvir um som, como se algo arranhasse a sua porta. Ficou desesperado, seria um de seus assassinos a sua procura? Ele se levantou e olhou pela janela, mas não pôde ver nada. A noite estava calma e tranquila e não havia nada do lado de fora. Mas o barulho não parava. Ferrier decidiu abrir a porta; para seu espanto, viu um homem atirado no chão, com os braços e pernas arreganhados. O seu primeiro pensamento foi o de que o homem estivesse morto, mas, quando olhou bem, viu que se mexia e rastejava e rapidamente entrou na casa. Era o audaz e resoluto Jefferson Hope.

— Deus do céu! — exclamou Ferrier. — Que susto! Por que entrou desse modo?

— Dê-me de comer! Há 48 horas não como nada!

Dizendo isso, foi direto para a mesa de jantar que ainda estava servida.

— E Lucy, tem se mostrado corajosa?

— Tem sim! Ela ignora os perigos!

— A casa está sendo vigiada por todos os lados. Eles são espertos. Mas não mais que eu!

— Você merece minha admiração. Não é qualquer um que compartilharia dos perigos aos quais estamos expostos.

— Não digo que não mereço. Mas, se você estivesse sozinho, não sei se viria. Lucy me traz aqui! Faria qualquer coisa por ela!

— O que devemos fazer? — perguntou Ferrier.

— Tenho uma mula e dois cavalos à nossa espera. De quanto dinheiro dispõe?

— Dois mil dólares em ouro e cinco mil em dinheiro.

— Isso é o suficiente. Tenho outro tanto comigo. Podemos alcançar Carson City pelas montanhas. Acorde Lucy.

Ferrier foi acordar sua filha enquanto o bravo jovem separava vários garrafões com água. Ele sabia que, nas montanhas, seria difícil achar água. Precisavam estar preparados. Mal ele terminara de encher os garrafões, o fazendeiro já estava de volta com a filha vestida para sair. Os namorados trocaram cumprimentos breves e saíram, pois os minutos eram preciosos.

— Devemos sair imediatamente. As entradas principais estão sendo vigiadas, mas podemos sair pela janela, fugir pelos campos e alcançar os cavalos e a mula que estão num monte a três quilômetros daqui — disse Jefferson Hope.

— E se formos detidos? — perguntou Ferrier.

Hope apontou para os revólveres em seu bolso. Então eles apagaram as luzes da casa e se prepararam para partir. Ferrier levava a bolsa com o dinheiro e o ouro. Jefferson levava as provisões e a água, e Lucy reuniu numa trouxa seus pertences mais preciosos. Abrindo a janela com cuidado, saíram e seguiram pelo campo.

Por sorte, Jefferson tinha um ouvido agudíssimo e, quando ouviu algo, pediu que seus amigos se escondessem nas sombras. De longe podiam ouvir as vozes.

— Amanhã à meia-noite — disse o primeiro. — Quando o moinho piar três vezes.

— Está bem — disse o outro. — Avisou o irmão Drebber?

— Passe-lhe a senha e ele que a passe a outros. Nove por sete!

— Sete por cinco — respondeu o outro, e as duas sombras caminharam em direções opostas.

As últimas palavras eram uma espécie de senha e

contrassenha. Jefferson Hope imediatamente se pôs de pé e tornou a correr rápido pelos campos, por vezes quase carregando a moça.

— Depressa! Depressa! — repetia ele. — Estamos passando a linha das sentinelas. Tudo depende da nossa rapidez.

Chegaram à estrada e puderam caminhar mais rapidamente até chegar aos seus cavalos. Jefferson Hope ia abrindo caminho com destreza. As paisagens eram inóspitas, rochas enormes, superfícies sinistras e irregulares. Havia desfiladeiros tão estreitos que eles tinham que se colocar em fila indiana. Mas, mesmo com todos os perigos, os fugitivos sentiam o coração leve e tranquilo, porque a cada passo se distanciaram mais do terrível despotismo do qual fugiam.

Chegando a uma montanha, Lucy percebeu aterrorizada que ainda estavam em território mórmon ao ver uma sentinela, que também os avistou e gritou:

— Quem vem?

— Viajantes para Nevada! — respondeu Jefferson.

— Com licença de quem? — perguntou.

— Dos quatro anciãos — disse Ferrier, que sabia que essa era a maior autoridade no meio dos mórmons.

— Nove por sete! — gritou a sentinela!

— Sete por cinco! — respondeu Jefferson Hope lembrando a contrassenha que ouvira no jardim.

— Podem passar! E que o Senhor esteja convosco!

Os fugitivos passaram e, olhando para trás, avistaram o último posto do povo eleito que tinham ultrapassado. À frente deles estava a liberdade.

Capítulo V
Os anjos vingadores

Viajaram a noite toda por veredas irregulares. Mais de uma vez perderam o rumo, mas o profundo conhecimento que Hope tinha da montanha os levava de volta ao bom caminho. Quando rompeu a manhã, um panorama selvagem e maravilhoso surgiu ante os seus olhos. Apesar de maravilhados, os homens se encontravam amedrontados, pois todo o estéril vale estava juncado de troncos e pedregulhos que ali se haviam despenhado. E, no momento exato em que passavam, uma enorme pedra rolou na frente deles, deixando os cavalos muito assustados. Entretanto, a exuberância da natureza e a ideia de liberdade animavam os viajantes.

Encontraram uma fonte de água, na qual pararam um pouco para descansar e se alimentar. Ferrier e Lucy teriam descansado mais, mas Jefferson estava com muita adrenalina.

— A esta altura eles já devem estar nos procurando. Tudo vai depender da nossa rapidez. Depois que chegarmos ao nosso destino, poderemos descansar para sempre.

Durante todo aquele dia eles caminharam sem pausa. À noite, pararam embaixo de um rochedo para descansar, mas, antes que o Sol viesse a nascer, eles já tinham partido. Jefferson começou a pensar que seus inimigos haviam desistido. Mal sabia ele do alcance daqueles que o perseguiam.

Na metade do segundo dia, os mantimentos começaram a acabar, mas isso não preocupava o jovem Hope, pois havia caça abundante nas montanhas. Eles encontraram mais uma vez um lugar para repousar e, enquanto Ferrier e Lucy armavam a fogueira, Jefferson saiu em busca da caça. Conseguiu pegar um carneiro selvagem, o "chifrudo", como é conhecido na região.

Contudo, a caça que havia conseguido era muito pesada para ser levada nos ombros. Jefferson, então, começou a puxá-la pelo caminho, quando se deu conta de que estava longe do local onde tinha deixado seus dois companheiros. A noite se aproximava e o jovem caçador não estava encontrando seu caminho. Ele estava cansado da jornada, mas mantinha firmeza ao pensar que a cada passo estaria mais próximo de Lucy e carregava consigo provisão suficiente para o fim da viagem.

Chegava enfim à boca do desfiladeiro, onde os tinha deixado. Apesar da escuridão, reconhecia perfeitamente o local. Com certeza o aguardavam ansiosos, pensou ele, depois daquelas longas cinco horas de ausência. Tomado de grande alegria, deu um grito no vale para anunciar que havia chegado. Deteve-se um instante à espera da resposta, mas ouviu o seu próprio grito devolvido pelo eco. Tornou a gritar mais alto ainda, e novamente nenhum sussurro lhe veio dos amigos. A essa altura, Jefferson, já apavorado, largou a caça e saiu correndo à procura de seus amigos.

Quando chegou ao local em que havia deixado os dois, não avistou nada. Com certeza algo de terrível havia acontecido. As marcas da fogueira ainda estavam lá, contudo não havia nenhum sinal de seus amigos.

Atordoado por aquele golpe, ele ficou um pouco desnorteado, mas logo retomou seu rumo. Pegou um tição da fogueira e saiu à procura dos dois. O chão estava todo marcado de cascos, mostrando que um grande número de homens montados havia arrebatado os fugitivos. O rumo das pegadas indicava claramente que eles tinham voltado para Salt Lake City. Teriam levado consigo os seus dois companheiros? Jefferson Hope já estava partindo em direção às pegadas quando viu algo que o assustou. Havia um punhado de terra vermelha que não estava lá antes. Ele se aproximou e, quando chegou, havia um pedaço de papel com o escrito:

JOHN FERRIER,
DE SALT LAKE CITY,
FALECIDO A 4 DE AGOSTO DE 1860

O velho fazendeiro, corajoso e destemido, havia sido morto pelos seus inimigos. Hope procurou por um segundo túmulo, mas nada encontrou. Sua amada Lucy havia sido levada para cumprir seu destino como parte do harém de um dos filhos dos anciãos. Por alguns instantes, ele desejou estar morto diante daquela cena terrível.

Contudo, seu espírito de combate falou mais alto. A única coisa que pulsava dentro dele agora era o desejo de vingança. Juntamente com a sua enorme paciência e sua perseverança, Jefferson Hope sabia guardar rancor e alimentar um espírito de vingança, aprendido talvez na convivência com os índios. Ele bolou o plano em sua mente, voltou até o lugar onde deixara cair a caça e, acendendo o fogo, preparou alimento suficiente para alguns dias. Desconsiderando o seu cansaço, colocou o fardo ao ombro e voltou pelo caminho da montanha no rastro dos anjos vingadores.

Durante cinco dias, com os pés feridos, exausto, arrastou-se pelos desfiladeiros que havia atravessado a cavalo. À noite, atirava-se sobre as rochas e concedia a si próprio umas poucas horas de sono, mas, antes do nascer do sol, já estava novamente a caminho. No sexto dia, chegou ao Barranco da Águia, que era onde havia começado a sua fuga. Dali, o seu olhar podia alcançar toda a terra dos mórmons. Pôde observar que tinha acontecido uma festa, pois a cidade estava repleta de bandeiras. Vindo na sua direção, viu um homem montado a cavalo. Mais de perto, reconheceu-o como sendo um mórmon chamado Cowper, a quem tinha prestado mais de um favor. Aproximou-se, na esperança de saber qual fora o destino de Lucy.

— Sou Jefferson Hope — disse ele. — Lembra-se de mim?

O mórmon olhou-o com espanto. Era difícil reconhecer naquele homem todo sujo e maltrapilho o valente caçador.

— Você é louco de vir até aqui! Existe uma ordem de captura para o homem que ajudou os Ferrier a fugirem. Se souberem que estou aqui falando com você, já estarei em maus bocados!

— Não tenho medo deles! Agora me diga, Cowper, sempre fomos bons amigos. Só quero saber uma coisa.

— Do que se trata? Seja rápido, pois aqui até as rochas têm ouvidos!

— O que aconteceu com Lucy Ferrier?

— Casou-se ontem com o jovem Drebber. Mas, meu Deus, Hope, você parece estar morrendo. Tenha ânimo!

— Ela se casou? É isso que você está dizendo?

— Sim, casou-se ontem... É por isso que a cidade está embandeirada. Houve uma disputa entre o jovem Drebber e o jovem Stangerson sobre quem ficaria com ela. Os dois faziam parte da patrulha que perseguiu os Ferrier, e Stangerson julgava-se com mais direitos por ter matado o pai dela. Mas a coisa foi discutida no conselho, e o lado de Drebber mostrou-se mais forte, de forma que o profeta a deu a ele. Mas ninguém a terá por muito tempo, ela parece que já está morta, mesmo estando viva. Ela mais parece um fantasma... Já vai andando?

— Sim, vou andando — respondeu Jefferson Hope partindo.

— Para onde vai?

— Pouco lhe importa — respondeu o jovem.

O jovem colocou a arma no ombro e partiu em direção às montanhas, destemido e determinado a salvar a vida de sua amada. Entretanto, a previsão do mórmon se realizou. Passados alguns dias, a pobre Lucy veio a falecer, ninguém sabe se de tristeza ou desgosto. A verdade é que a jovem chegou ao fim.

O marido, estúpido e cruel, nem chorou a sua morte. Apenas desgraçou a vida da jovem. As outras esposas ficaram muito abaladas. Foram todas velar o corpo, como era costume entre o povo. Estavam elas reunidas em torno do caixão, às primeiras horas da manhã, quando viram, com pasmo e terror, a porta se abrir e entrar na sala de forma violenta um jovem corajoso. O homem não disse uma palavra sequer, apenas abraçou o corpo da morta e retirou a aliança que estava em seu dedo.

— Não será enterrada com isso! — bradou ele e, antes que pudessem avisar alguém, ele já havia fugido.

Foi tudo tão rápido que, se não fosse o fato de a aliança ter sumido, ninguém acreditaria no ocorrido.

Durante alguns meses, Jefferson Hope ficou como um andarilho pelas montanhas, caminhando sem rumo e com seu coração inundado por vingança. Os jovens Stangerson e Drebber viviam um atentado depois do outro e não demoraram a suspeitar que Hope estava planejando matá-los.

Dia após dia, os atentados só aumentavam. O caçador tinha um caráter duro e implacável, e a ideia predominante da vingança o tomara de tal forma, que não havia espaço para outra emoção. Era, contudo, um homem prático e depressa compreendeu que até a sua férrea constituição não poderia resistir ao permanente esforço a que ele a submetia. A vida ao relento e a falta de alimentos saudáveis estavam destruindo seu corpo. Se ele morresse na montanha, o que seria feito da sua vingança? Esse seria o seu destino se ele insistisse naquela vida. Além disso, ele compreendeu que estava fazendo o jogo dos seus inimigos. Embora com relutância, ele voltou às velhas minas de Nevada com o intuito de recuperar a saúde e juntar dinheiro suficiente para alcançar seu objetivo.

Por cinco anos, ele permaneceu nas minas juntando seu dinheiro e fazendo Stangerson e Drebber pensarem que estivesse morto. Depois desse tempo, disfarçado e sob um nome falso, voltou a Salt Lake City indiferente ao que lhe pudesse acontecer, contanto que pudesse fazer aquilo que considerava justo. Quando chegou à cidade, foi recebido por más notícias de que uma rebelião havia tomado conta do povo mórmon. Entre os comandantes da rebelião estavam os jovens Stangerson e Drebber. Dizia-se que Drebber fora bem-sucedido em converter em dinheiro uma grande parte da sua propriedade e tinha ido embora em ótimas condições financeiras; ao passo que o seu companheiro, Stangerson, ficara relativamente sem recursos. Não havia, contudo, nenhum indício dos dois por aquelas bandas.

Jefferson Hope, contudo, não perdeu as esperanças de acabar com os dois. Com o pouco recurso que tinha viajou pelos Estados Unidos à procura dos seus inimigos. Os anos se passaram, ele estava envelhecendo, mas continuava com seu objetivo: vingar-se. Por fim, a sua perseverança foi recompensada. Viu, apenas de relance, um rosto numa janela, mas isso lhe bastou para saber que ali, em Cleveland, no Estado de Ohio, estavam os homens que ele perseguia.

Voltou à sua cabana e bolou todo o plano. Mas Drebber, que estava olhando casualmente pela janela, reconheceu a figura de Hope. Stangerson havia se tornado praticamente seu secretário particular. Os dois correram ao juiz de paz e declararam que as suas vidas estavam ameaçadas pelo ciúme e o ódio de um antigo rival. Nessa mesma noite, Jefferson Hope foi preso e, não tendo quem o afiançasse, ficou algumas semanas detido. Quando finalmente o puseram em liberdade, encontrou vazia a casa de Drebber e soube que ele e seu secretário tinham partido para a Europa.

Mais uma vez sua vingança se distanciava. Contudo, seu ódio era tão grande, que não poupou esforços para reunir recursos e partir para a Europa em busca de seus inimigos. Ele reuniu o indispensável para sua sobrevivência, partiu para a Europa e começou a seguir os seus inimigos de cidade em cidade, exercendo humildes trabalhos no caminho, mas sem nunca alcançar os fugitivos. Quando chegou a São Petersburgo, eles já tinham partido para Paris; e, quando lá chegou, soube que acabavam de fugir para Copenhague. Também se atrasou ao chegar na capital dinamarquesa, pois soube que eles tinham ido para Londres, onde finalmente conseguiu encontrá-los.

Quanto ao que aconteceu nessa última cidade, não podemos descrever melhor do que o próprio relato de Jefferson Hope, que foi devidamente registrado no diário do Dr. Watson, ao qual já tanto devemos.

Capítulo 6
A história de Jefferson Hope

Nosso prisioneiro resistiu de forma tão feroz, que deixou bem claro não querer nada amigável conosco. Entretanto, ao ver que não tinha mais saída, rendeu-se.

— Suponho que vocês queiram me levar até a delegacia de polícia — observou ele olhando para Sherlock Holmes. — Meu carro está na porta. Se desamarrarem as minhas pernas, posso descer sozinho até ele.

Gregson e Lestrade se entreolharam desconfiados, mas Holmes imediatamente aceitou a proposta do prisioneiro. Ao ser desamarrado, Hope se levantou e estendeu as pernas. Ao observá-lo, dei-me conta do quão vigoroso ele era, e aparentava ter muita saúde e energia. Alguém como ele venceria qualquer obstáculo.

— Se houver vaga para o chefe do departamento, esse é o homem — disse Hope apontando para Holmes. — A maneira como você me seguiu merece respeito.

— Vamos juntos — disse Holmes para os investigadores. — Venha você também, Watson, percebo que está interessado no caso.

Aceitei e nós seguimos todos juntos. Chegamos à delegacia de polícia e fomos recebidos pela autoridade local. Era um homem pálido, fleumático, que estava ali para cumprir a sua obrigação. Ele anotou o nome do prisioneiro e as respectivas mortes pelas quais ele era responsável.

— O detido vai comparecer à corte esta semana — disse o chefe. — Antes disso, você tem algo a dizer?

— Tenho muito a dizer!

— Não prefere deixar para o julgamento?

— Talvez eu não seja julgado. Calma, não se preocupem, não vou fugir. Coloquem a mão aqui no meu coração. Você é médico, não é? Então venha!

Assim que coloquei a mão, notei a palpitação intensa que o prisioneiro sofria. No silêncio da sala, era possível ouvir o sopro do coração frágil do homem.

— Você tem um aneurisma na aorta!

— É assim que os médicos chamam. Semana passada fui ao médico e ele disse que isso não duraria mais que uma semana, vai arrebentar! Mas, como meu trabalho já está feito, pouco me importa morrer. Quero deixar um relato de tudo o que aconteceu. Não quero morrer como um assassino comum.

— O doutor acha que existe perigo imediato? — perguntou um dos delegados a mim.

— Sem dúvida.

— Então prossiga. É dever da justiça aceitar o seu depoimento.

Jefferson Hope recostou-se na cadeira e começou a contar a história extraordinária que tinha vivido.

— Pouco lhes interessa o quanto eu odiava aqueles homens. Basta vocês saberem que eles mataram duas pessoas, pai e filha, e que, por consequência, deveriam pagar com a própria vida por esse crime.

"Há vinte anos, essa jovem da qual falei estava prestes a se casar comigo, mas foi obrigada a se casar com esse Drebber e morreu de desgosto. Quando ela estava em seu leito de morte, eu tirei a aliança de sua mão e jurei que faria vingança por sua morte. Carreguei-a sempre comigo, até apanhá-los. Eles pensaram que eu desistiria, mas isso nunca entrou nos meus planos.

No entanto, eles eram ricos e eu pobre, o que dificultava a minha situação para segui-los. Quando cheguei a Londres, eu estava completamente sem dinheiro e me dispus a trabalhar em qualquer coisa para viver. Arrumei um emprego de entregador; guiar cavalos sempre foi algo simples para mim, e fiz isso para sobreviver por aqui. O meu principal desafio era me guiar pelas ruas de Londres, mas, depois que aprendi, o desafio se tornou fácil.

Demorei muito tempo para descobrir onde moravam os dois cavalheiros. Mas não desisti, vasculhei cada canto de Londres até encontrar os dois. Estavam ambos em uma pensão em Camberwell. Eu tinha deixado a barba crescer para que eles não me reconhecessem. Dessa vez, eles não me escapariam.

Acontece que eles eram espertos e andavam sempre acompanhados pela cidade. Eu os seguia todos os dias. Drebber estava sempre bêbado, mas Stangerson não descansava, estava sempre alerta. O meu único receio era morrer antes de cumprir essa missão, então eu trabalhava cada vez mais para ter a oportunidade de pegá-los.

Finalmente, uma noite eu estava espionando a casa em que eles moravam quando um carro parou para pegá-los. Eu pulei em meu cavalo e comecei a segui-los. Eles foram para a Estação Euston e eu também. Ouvi-os perguntarem pelo trem que partiria para Liverpool, e o guarda disse que já havia partido, mas, que dentro de algumas horas, haveria outro. Stangerson ficou claramente irritado, mas Drebber pareceu não ligar muito para o imprevisto. Ele disse para Stangerson que precisaria sair para resolver umas coisas; seu companheiro não queria deixar, mas, depois de muito insistir, ele seguiu sozinho, afirmando que estaria de volta às onze horas. Stangerson se conformou e disse que, caso perdessem mais um trem, ele esperaria por Drebber no hotel Halliday.

O momento pelo qual eu estava esperando havia tempo tinha chegado. Contudo, eu não agi precipitadamente, tinha meus planos claros e precisava agir com sabedoria. No meu trabalho como entregador, eu, por sorte, recebi uma chave de uma casa vazia em Brixton Road e fiquei responsável por entregá-la. Eu tinha então um lugar disponível para realizar meu trabalho com Drebber, o problema era como levá-lo até lá.

Ele foi descendo a rua e entrando em um bar depois do outro. Quando saiu do último deles, certamente já estava mais bêbado do que antes. Ele foi seguindo seu caminho e, pelo que vi, parecia estar voltando à pensão em Caberwell, sei lá Deus para que finalidade. Eu o seguia firmemente. Ele entrou na pensão.

Eu fiquei aguardando do lado de fora. Passaram-se alguns minutos, quando eu comecei a ouvir uma briga. De repente, um homem saiu segurando Drebber pelo colarinho. 'Seu canalha! Vou lhe ensinar como tratar uma moça! Suma daqui!', gritava o homem muito nervoso. Drebber saiu correndo pela rua e, vendo o meu carro, entrou e disse: 'Leve-me ao hotel Halliday!'.

Quando entrou finalmente no carro, o meu coração pulou no peito com tamanha alegria, que, por um instante, receei que o aneurisma rebentasse. Andei lentamente pela rua refletindo sobre a tática que me conviria seguir. Eu podia conduzi-lo aos arredores da cidade e, lá, num lugar deserto, ter com ele a minha última entrevista. Estava quase decidido a isso, quando ele próprio resolveu o meu problema. O desejo de beber dominou-o outra vez, e mandou parar diante de uma cervejaria. Entrou e disse para que o esperasse. Lá ficou até a hora de fechar e, quando saiu, estava tão bêbado que não podia me escapar.

Eu não pretendia matá-lo a sangue frio. Seria a mais pura justiça, mas eu não conseguiria. Nas minhas andanças pela América, um de meus ofícios foi de porteiro e varredor do labortório da Universidade de York. Um dia, o professor estava dando uma aula sobre venenos, e um deles era tão poderoso que poderia causar a morte instantânea de alguém. Naquela ocasião eu marquei o frasco e peguei quando tive a primeira oportunidade. Com o veneno eu preparei algumas pílulas que me serviriam quando encontrasse minhas vítimas. Coloquei-as em uma caixinha juntamente com outra pílula sem veneno. Desde esse dia, eu guardava essa caixinha comigo.

A noite estava feia, mas eu me sentia feliz por dentro. Não sei se vocês já desejaram alguma coisa ardentemente na vida, e, de repente, essa coisa está ao alcance de suas mãos. Eu finalmente vingaria a morte de minha amada e de seu pai. Estava tudo silencioso, não havia uma viva alma sequer. Quando Drebber voltou para o carro, mandou-me seguir. Chegamos à casa e ele provavelmente pensou que estivéssemos no hotel e entrou na casa.

'Está escuro aqui!', disse Drebber.

'Daqui a pouco terá luz', disse eu acendendo um fósforo.

Ele me olhou e eu pude ver o terror dominar a sua face. Ele havia me reconhecido. Tentou recuar, mas estava tão bêbado que não conseguia.

'Cão maldito!', gritei. 'Tenho-o seguido desde Salt Lake City e você sempre me escapou. Mas agora chegou a sua hora!'.

Eu estava tão nervoso que me saía sangue pelas têmporas.

'O que pensa agora de Lucy Ferrier? O castigo demorou, mas chegou'.

Os seus lábios tremiam muito: 'Vai me assassinar?'.

'Não! Deus será o nosso juiz!'.

Tirei a caixinha do bolso e disse-lhe que escolhesse uma pílula a fim de que nosso destino fosse decidido daquela forma.

Drebber tentou fugir, mas eu o ameacei com a faca. No fim, ele pegou uma pílula e engoliu. Em alguns minutos ele já estava se retorcendo e morrendo diante dos meus olhos. Comecei a rir e coloquei sobre ele a aliança de Lucy. Drebber estava morto! O sangue continuava escorrendo do meu nariz, mas eu não notava. Não sei por que, mas naquela hora me veio a ideia de escrever a palavra RACHE na parede. Lembro-me de que, quando estava em Nova Iorque, ouvi algo sobre uma gangue que deixava essa marca por onde passava. Achei pertinente deixar a marca para despistar a polícia londrina. Depois disso, eu fugi. Saí pelas ruas exultante e feliz por ter cumprido a minha missão. Quando estava a alguns metros da casa, eu percebi que estava sem a aliança de Lucy. Entrei em desespero, pois era a única lembrança que eu tinha dela. Voltei para a casa, pois estava disposto a tudo, menos a perder o anel. Quando cheguei lá, dei de cara com um policial e só consegui despistá-lo por fingir que estava bêbado.

Foi assim que Enoch Drebber chegou ao fim de seus dias. Restava-me então fazer o mesmo com Stangerson, cobrando a dívida do que ele tinha feito com o velho Ferrier. Cheguei ao hotel Halliday. Como eu havia ouvido que ele estava lá, descobri o seu quarto e, na manhã seguinte, aproveitei uma escada que estava nos fundos do hotel e entrei no quarto. Quando o encontrei, acordei-o e anunciei que seu fim havia chegado. Contei como havia feito com Drebber e dei-lhe a mesma opção, mas ele pulou em minha direção para me atacar. Na mesma hora tive que agir em legítima defesa e o matei com um golpe no pescoço. De qualquer maneira, o seu fim tinha chegado.

Não me resta muito a dizer. Continuei trabalhando depois disso, pois precisava juntar dinheiro para voltar à América. Então, estava hoje no meu quarto quando um garoto maltrapilho chegou e disse que havia um homem pedindo meu carro, e ele estava me esperando pronto na Baker Street 221B. Fui até lá sem suspeitar de nada e, quando cheguei, esse jovem me algemou com uma rapidez que eu nunca vi. E esta é a minha história, senhores... Talvez me considerem um assassino, mas eu me considero um instrumento da justiça assim como vocês."

Estávamos todos perplexos com a história de Jefferson Hope. Quando ele terminou, todos permanecemos em silêncio, ouvindo apenas o barulho do lápis de Lestrade que terminava seu registro do depoimento.

— Há apenas um ponto sobre o qual eu desejo mais esclarecimentos. Quem era o seu cúmplice que veio procurar o anel anunciado por mim? — perguntou Holmes.

— Posso revelar meus segredos, mas não colocarei ninguém em dificuldades.

— Esplêndido — respondeu Holmes.

— Agora, cavalheiros — observou o inspetor –, devemos cumprir as formalidades legais. Na quinta-feira, o detido será conduzido ao tribunal e a presença dos senhores será necessária. Até então eu serei responsável por ele.

Dizendo isso, tocou um alarme e Jefferson Hope foi levado por dois guardas para sua cela. Meu amigo e eu saímos, pegamos um carro e voltamos para a Baker Street.

Capítulo VII
Considerações Finais

Todos nós precisaríamos voltar para o julgamento de Hope. Mas não foi preciso, pois na noite seguinte seu aneurisma arrebentou e ele foi encontrado morto em sua cela.

— Gregson e Lestrade ficaram furiosos com a morte dele — observou Holmes, quando comentávamos na noite seguinte. — Lá se vai o estardalhaço que esperavam.

— Mas qual foi a contribuição deles para a resolução desse mistério? — perguntei.

— Neste mundo, o que vale não é o que se faz, mas o que os outros pensam que fizemos. Esse caso, contudo, foi interessante. Embora muito simples, teve pontos altamente instrutivos — disse Holmes.

— Simples! — exclamei.

— Sinceramente, não vejo outra maneira de defini-lo. A prova de sua simplicidade é tão grande que, em três dias, eu fui capaz de fazer as deduções e pegar o criminoso.

— Isso é verdade.

— Já lhe expliquei que as circunstâncias fora do comum

constituem mais uma orientação do que um obstáculo. Ao resolver um problema desse tipo, o essencial é saber raciocinar retrospectivamente. É um processo muito útil, e muito fácil, mas poucos se servem dele. Nos assuntos cotidianos, é mais útil raciocinar para a frente, na direção do tempo, de maneira que o processo inverso vai sendo esquecido. Há cinquenta pessoas que raciocinam sinteticamente para cada uma capaz de raciocinar analiticamente.

— Confesso que não o entendi muito bem.

— Já imaginava. Vejamos se me faço entender melhor. A maioria das pessoas, depois de você descrever uma série de acontecimentos, vai dizer quais as suas consequências. Como podem raciocinar mentalmente, são capazes de deduzir o que provavelmente vai ocorrer. Mas há alguns que, conhecendo apenas as consequências, são capazes de deduzir os acontecimentos que as provocaram. Refiro-me a essa capacidade quando falo em raciocinar retrospectivamente ou analiticamente.

— Agora entendi!

— O caso em questão era precisamente um desses em que são dadas as consequências e nada mais, o resto, os acontecimentos causais, tinham de ser deduzidos. Tentarei agora explicar a você as fases do meu raciocínio. Como sabe, cheguei à casa a pé e com o espírito livre de qualquer suposição. Naturalmente, comecei examinando a rua e, como já lhe expliquei, vi nitidamente as marcas de um táxi, o qual, a julgar pelo que me informaram a respeito daquela manhã, deveria ter estado ali durante a noite. Observei que era um carro de aluguel e não uma carruagem particular, devido à bitola das rodas.

Os olhos de Holmes brilhavam, e ele prosseguiu:

— Depois, caminhei pelo jardim, cujo terreno barrento

era dos melhores para reter marcas ou pegadas. Não tenho dúvidas de que aquilo deve ter lhe parecido apenas um terreno enlameado, mas, para os meus olhos experimentados, cada marca na sua superfície tinha um significado muito importante. Não há nenhum ramo da ciência da investigação tão importante e tão negligenciado como a arte de identificar as pegadas. Felizmente sempre lhe dediquei a maior atenção, e a prática tornou-a em mim uma segunda natureza. Reconheci as pegadas profundas dos policiais, mas também vi as marcas deixadas por dois homens que ali tinham passado em primeiro lugar. Era fácil dizer que vinham antes das demais, porque em certos lugares estavam completamente apagadas pelas subsequentes. Dessa maneira, o meu raciocínio continuava sendo construído, e dizia-me que os visitantes noturnos eram em número de dois, um de grande estatura (conforme calculei pela largura dos seus passos) e outro elegantemente vestido, a julgar pela marca nítida e bem torneada deixada pelos seus sapatos.

Eu ouvia atentamente as palavras de Holmes:

— Ao entrar na casa, essa última suposição foi confirmada. O homem bem calçado estava diante de mim. O alto, por conseguinte, havia cometido o crime, se é que houvera crime. Não havia nenhum ferimento no cadáver, mas a expressão dramática do seu rosto me mostrava que ele tinha previsto o seu destino. As pessoas que morrem de um ataque do coração, ou de qualquer outra causa natural e súbita, jamais apresentam as feições contraídas. Cheirando os lábios do defunto, notei um ligeiro odor azedo, e cheguei à conclusão de que ele tinha tomado veneno. Deduzi que fora obrigado a isso, ainda baseado no aspecto das suas feições, que denotavam ódio e pavor. Cheguei a semelhante resultado pelo processo de exclusão, porque nenhuma outra hipótese enquadraria todos os fatos. A administração compulsória do veneno não é de modo algum uma coisa nova nos anais do crime. Os casos de Dolski, em Odessa, e de Leturier, em Montpellier, não deixariam de ocorrer imediatamente a um toxicologista.

Holmes prosseguiu:

— E agora vinha o problema central: o motivo. O roubo não fora o motivo do crime, visto que nada fora tirado do morto. Tratava-se de política, então, ou de uma mulher? Eis aí o dilema com que me deparava. Desde o começo, eu estava inclinado para a segunda suposição. Devia ser um caso pessoal, e não político, exigindo, assim, uma vingança tão metódica. Quando vimos o escrito na parede, fiquei ainda mais tentado por essa minha opinião. Aquilo era evidentemente um falso indício. E, quando se achou o anel, não tive mais dúvidas. Era evidente que o assassino o tinha usado para lembrar à sua vítima alguma mulher morta ou ausente. Foi nessa altura que perguntei a Gregson se, no seu telegrama a Cleveland, tinha pedido informações sobre algum ponto determinado da vida passada de Mr. Drebber. Como deve estar lembrado, ele me respondeu pela negativa.

— Sim, eu me lembro! — disse eu.

— Realizei, então, um cuidadoso exame da sala, que confirmou a minha opinião quanto à estatura do assassino e me forneceu pormenores adicionais sobre o charuto Trichinopoly e o comprimento das suas unhas. Eu já chegara à conclusão, por não haver sinais de luta, de que o sangue que manchava quase todo o soalho tinha jorrado do nariz do assassino, em consequência da sua excitação.

Observei que o rastro de sangue coincidia com as suas pegadas. É raro que um homem, não sendo de compleição sanguínea, sofra semelhante hemorragia num momento de grande tensão; e por isso aventurei a opinião de que o criminoso fosse uma pessoa robusta e de rosto vermelho. Os acontecimentos provaram que a minha dedução estava correta.

Holmes continuou:

— Ao deixar a casa, fui imediatamente fazer o que Gregson não fez. Telegrafei ao chefe de polícia de Cleveland, limitando o meu pedido de informações às circunstâncias relacionadas com o casamento de Enoch Drebber. A resposta foi conclusiva. Dizia-me que Drebber já havia pedido a proteção da lei contra um antigo rival em amor, chamado Jefferson Hope, e que esse mesmo Hope se encontrava na Europa. Eu tinha nas mãos, portanto, o fio da meada, e nada mais restava senão localizar o assassino. Já tinha certeza de que Drebber havia entrado na casa com o cocheiro. As marcas das rodas demonstravam-me que o cavalo tinha caminhado de um modo que seria impossível se alguém tivesse ficado na boleia. Consequentemente, onde poderia estar o cocheiro senão no interior da casa? Também aí era absurdo supor que um homem, não estando louco, fosse cometer um crime quase sob os olhos de uma terceira pessoa, que facilmente poderia traí-lo. Finalmente, admitindo-se que um homem quisesse seguir outro através de toda a cidade de Londres, o que poderia fazer de melhor do que disfarçar-se de cocheiro da praça? Todas essas considerações me levaram à conclusão definitiva de que Jefferson Hope deveria ser procurado entre os cocheiros da metrópole.

Holmes ajeitou-se em sua cadeira e prosseguiu animado:

— Se essa fosse sua ocupação, ele não teria mudado. Pelo contrário, sob o seu ponto de vista, qualquer mudança súbita de atividade com certeza chamaria a atenção sobre ele. Provavelmente, ao menos por algum tempo, continuaria a exercer o seu trabalho. Não havia razão para imaginar que tivesse mudado de nome. Por que fazer isso num país onde ninguém conhecia a sua verdadeira identidade? Organizei então o meu grupo alternativo de oficiais, composto de garotos de rua, e mandei-os atrás de todos os cocheiros de Londres, até encontrarem o homem que eu queria. Não preciso lhe dizer o quanto eles se saíram bem nessa missão e como tirei rapidamente partido disso. A morte de Stangerson foi um incidente inteiramente inesperado, mas, de qualquer modo, teria sido muito difícil de evitar. Em consequência desse segundo crime, como bem sabe o meu caro doutor, vieram às minhas mãos as pílulas de cuja existência eu já suspeitava. Como vê, tudo isso não passa de um encadeamento lógico dos elos, sem a menor solução de continuidade.

— Meu Deus! Seus métodos são incríveis! Você deveria publicar um relato! Se não o fizer, eu farei!

— Faça o que bem entender! Mas veja isso aqui!

Era o último exemplar do Echo, e o parágrafo que ele me indicava comentava o caso em foco:

O público perdeu a ocasião de assistir a um julgamento sensacional devido à morte súbita de Hope, o autor da morte de Enoch Drebber e de Joseph Stangerson. Consta que ambas as vítimas pertenciam, na mocidade, aos mórmons, e Hope, o acusado que morreu na prisão, veio de Salt Lake City. Se o caso não teve maior repercussão, serviu ao menos para evidenciar de maneira notável a eficiência da nossa organização policial, além de constituir uma lição para os estrangeiros que, tendo as suas desavenças, doravante tratarão de liquidá-las nos seus países e não em solo britânico. Não é segredo que o mérito dessa brilhante captura cabe inteiramente a dois conhecidos investigadores da Scotland Yard, os senhores Lestrade e Gregson. O homem, ao que parece, foi capturado no apartamento de um certo Mr. Sherlock Holmes, que, como amador, mostrou algum talento de detetive e que, com tais instrutores, poderá talvez aperfeiçoar-se adquirindo, com o tempo, parte da sua consumada habilidade. Espera-se que alguma distinção especial seja conferida aos dois funcionários como justo reconhecimento pelos seus serviços.

— Foi isso que disse desde o começo — observou Sherlock Holmes rindo. — E este é o resultado do nosso estudo em vermelho: arranjar-lhes uma distinção especial!

— Pouco importa — respondi. — Tenho todos os fatos no meu diário, e o público ficará sabendo deles. Por enquanto, contente-se com o que tem. Como diria o avarento romano:

"Vaiam-me na rua, mas eu em casa me aplaudo ao contemplar o meu dinheiro no cofre".

Sir Arthur Conan Doyle (1859-1930)

Arthur Conan Doyle era de família escocesa, respeitada no ramo das artes. Aos nove anos, foi estudar em Londres. No internato, era vítima de *bullying* e dos maus-tratos da instituição. Encontrou consolo na literatura e rapidamente conquistou um público composto por estudantes mais jovens.

Quando terminou o colégio, decidiu estudar medicina na Universidade de Edimburgo. Lá, conheceu o professor Dr. Joseph Bell, quem o inspirou a criar seu mais famoso personagem, o detetive Sherlock Holmes. Em 1890, no romance *Um Estudo em Vermelho*, iniciou a saga de aventuras do detetive. Ao todo, Holmes e seu assistente, Watson, foram protagonistas de 60 histórias.

Doyle casou-se duas vezes. Sua primeira esposa, Luisa Hawkins, com quem teve uma menina e um menino, faleceu de tuberculose. Com Jean Leckie casou-se em 1907 e teve três filhos.

Abandonou a medicina para dedicar-se à carreira de escritor. Seus livros mais populares de Sherlock Holmes foram: *O Signo dos Quatro* (1890), *As Aventuras de Sherlock Holmes* (1892), *As Memórias de Sherlock Holmes* (1894) e *O Cão dos Baskervilles* (1901). Em 1928, Doyle publicou as últimas doze histórias sobre o detetive em uma coletânea chamada *O Arquivo Secreto de Sherlock Holmes*.